BASES
PARA LA
EDUCACION
CRISTIANA

BASES
PARA LA
EDUCACION CRISTIANA

● HAYWARD ARMSTRONG ●

CASA BAUTISTA DE PUBLICACIONES

CASA BAUTISTA DE PUBLICACIONES
Apartado Postal 4255, El Paso, TX 79914 EE. UU. de A.

www.casabautista.org

Agencias de Distribución

CBP ARGENTINA: Rivadavia 3474, 1203 Buenos Aires. **BOLIVIA:** Casilla 2516, Santa Cruz. **COLOMBIA:** Apartado Aéreo 55294, Bogotá 2, D.C. **COSTA RICA:** Apartado 285, San Pedro Montes de Oca, San José. **CHILE:** Casilla 1253, Santiago. **ECUADOR:** Casilla 3236, Guayaquil. **EL SALVADOR:** Av. Los Andes No. J-14, Col. Miramonte, San Salvador. **ESPAÑA:** Padre Méndez 142-B, 46900 Torrente, Valencia. **ESTADOS UNIDOS: CBP USA:** 7000 Alabama, El Paso, TX 79904, Tel.: (915)566-9656, Fax: (915)565-9008, 1-800-755-5958; 960 Chelsea Street, El Paso, TX 79903, Tel.: (915)778-9191; 4300 Montana, El Paso, TX 79903, Tel.: (915)565-6215, Fax: (915)565-1722, (915)751-4228, 1-800-726-8432; 312 N. Azusa Ave., Azusa, CA 91702, Tel.: 1-800-321-6633, Fax: (818)334-5842; 1360 N.W. 88th Ave., Miami, FL 33172, Tel.: (305)592-6136, Fax: (305)592-0087; 647 4th. Ave., Brooklyn, N.Y., Tel.: (718)788-2484; **CBP MIAMI:** 12020 N.W. 40th Street, Suite 103 B, Coral Springs, FL, 33065, Fax: (954)754-9944, Tel.: 1-800-985-9971. **GUATEMALA:** Apartado 1135, Guatemala 01901. **HONDURAS:** Apartado 279, Tegucigalpa. **MEXICO: CBP MEXICO:** Vizcaínas Ote. 16, Col. Centro, 06080 México, D.F.; Madero 62, Col. Centro, 06000 México, D.F.; Independencia 36-B, Col. Centro, 06050 México, D.F.; F. U. Gómez 302 Nte. Monterrey, N. L. 64000. **NICARAGUA:** Reparto San Juan del Gimnasio Hércules, media cuadra al Lago, una cuadra abajo, 75 varas al Sur, casa 320. **PANAMA:** Apartado E Balboa, Ancon. **PARAGUAY:** Casilla 1415, Asunción. **PERU:** Pizarro 388, Trujillo. **PUERTO RICO:** Calle San Alejandro 1825, Río Piedras. **URUGUAY:** Casilla 14052, Montevideo 11700. **VENEZUELA:** Apartado 3653, El Trigal 2002 A, Valencia, Edo. Carabobo.

Ediciones: 1988, 1991, 1994, 1996, 1998
Sexta edición: 2000

Clasificación Decimal Dewey: 268

Tema: Educación Cristiana

ISBN: 0-311-11048-7
C.B.P. Art. No. 11048

2 M 1 00

Printed in U.S.A.

CONTENIDO

INTRODUCCION

La obediencia al mandato bíblico de enseñar es vital para la supervivencia de la iglesia. El valor de la educación de los creyentes en el movimiento evangélico en América Latina es inestimable. Un investigador ha descubierto cinco factores de crecimiento en las iglesias evangélicas de América Latina, uno de los cuales es un fuerte programa de educación cristiana. Algunos pastores y líderes se han dado cuenta ya de la gran necesidad de educar a sus congregaciones. A muchos más, lamentablemente, les hace falta una visión completa de qué se trata el cristianismo, pues dejan a un lado la educación a favor de un énfasis en el evangelismo. La verdad es que las dos cosas son necesarias para el crecimiento del pueblo de Dios. Es a través de la educación que tocamos a los párvulos tanto como a los adultos. Es, en la enseñanza, que cumplimos esa tarea de urgente importancia que es discipular a los seguidores de Cristo. Es, en grupos íntimos de instrucción, que aprendemos el uno del otro, con la observación de la vida del otro tanto como el compartimiento de conocimientos y conceptos. Es, con el programa de educación en la iglesia local, que se añade la carne a los huesos del esqueleto que se forma cuando alguien entrega su vida a Cristo. Los que ya son líderes espirituales y los que se están preparando para servir al Señor más ampliamente, deben captar la visión de las múltiples bendiciones que recibirán al obedecer el mandato de enseñar.

Cuando uno reconoce la importancia del ministerio de la educación en la iglesia local, quizá reconozca también la amplitud de este ministerio y el papel importantísimo que juega. La educación cristiana es mucho más que una hora u hora y media cada domingo en una aula del templo. Es, más bien, un sistema formal e informal, provisto de un ambiente cristiano, que le ayuda a uno a desarrollarse en su conocimiento de las verdades divinas y en su consagración al Señor. Al ser formal e informal se convierte en una fuerza integral en la vida de la iglesia y en las vidas de los individuos que la forman. La iglesia enseña en su escuela dominical, sí, pero también enseña con modelos —los adultos siendo modelos para los niños, y los mayores en la fe para los menores— hombres, mujeres y niños viviendo la Palabra y enseñando con su vidas. La iglesia enseña también a través de las relaciones interpersonales y a través de un sin fin de métodos, maneras y situaciones.

Existen bases y principios fundamentales, que deben servir como las raíces de nuestros esfuerzos en la educación de la iglesia. Son estas bases las que demandan nuestra atención en el presente estudio. Son bases bíblicas, históricas, socio-psicológicas, teológicas y organizacionales que nos ayudarán a entender mejor cuál es la meta cuando se habla de la educación cristiana, y a qué nos dedicamos cuando tomamos en serio la función educativa de la iglesia cristiana.

El estudio se divide en cinco bases mayores, y cada una de éstas se discute en dos o más capítulos. Las bases bíblicas se derivan del Antiguo tanto como del Nuevo Testamentos. En el tratamiento de estas bases, el autor ha intentado sintetizar las enseñanzas de la Biblia en cuanto a la educación, a fin de proveer un trasfondo de la herencia hebrea y judía con la cual cuenta la iglesia y a la cual la iglesia debe muchos de sus conceptos educacionales.

El propósito de estudiar las bases históricas es también para conocer algo de la herencia que tenemos y para aprender de las victorias y de las derrotas de los movimientos educacionales y las personas clave en el desarrollo de la educación cristiana como una ciencia. Esta es la sección más larga del estudio y traza la historia desde la iglesia post-apostólica hasta el presente.

Las bases socio-psicológicas no son tan fáciles de definir como lo son las históricas. Se ha intentado explorar las posibilidades de los efectos del contexto social en el proceso de enseñanza-aprendizaje en la iglesia local. A la vez, se examinan algunas influencias psicológicas que pueden evidenciarse en la educación.

La sección en la cual se habla de las bases teológicas representa un intento de contextualizar y aplicar a la iglesia contemporánea lo que dice la Biblia acerca de la enseñanza. Esta sección incluye una sugerencia para un patrón bíblico para la educación en la iglesia y una filosofía cristiana de enseñanza-aprendizaje.

En la última sección, todo lo anterior se junta en dos capítulos prácticos: cómo desarrollar un programa educacional en la iglesia local y con qué materiales y literatura se cuenta para tal programa.

El autor no pretende en ninguna manera haber tratado ninguno de estos puntos cabalmente. La educación cristiana debe ser dinámica, cambiando según las necesidades. Tampoco pretende el autor haber tratado estas bases educacionales con amplitud. Son estudios relativamente superficiales por su naturaleza de ser introductorios. El propósito del libro ha sido proveer al lector/alumno con algunos conceptos y conocimientos básicos y sugerir asignaciones y/o lecturas adicionales según su interés o según las indicaciones de un profesor.

Primera parte

BASES BIBLICAS
PARA LA EDUCACION CRISTIANA

Capítulo 1

LA EDUCACION ENTRE LOS HEBREOS

Introducción

Sería un error tremendo estudiar la educación cristiana sin antes considerar la educación religiosa que la precedió, esto es, la educación de los hebreos del Antiguo Testamento y la educación judía de los períodos intertestamentario y neotestamentario. En este capítulo se considerará especificamente la educación entre los hebreos.

Todas las ideas mayores que se asocian con el Antiguo Testamento — revelación, profecía, sacrificio, ritos, la presencia y el poder de Dios, etc. —se relacionan en alguna manera con el sistema educacional de los israelitas, el pueblo escogido por Dios. Por lo tanto, estas ideas se relacionan también a nuestros propósitos en la educación cristiana, como los que formamos el nuevo Israel. En este capítulo se considerarán cuatro áreas escogidas de la educación entre los hebreos; estas áreas tienen valor mientras procuramos desarrollar un entendimiento bíblico de la educación para relacionarla con nuestros conceptos eduacionales en la iglesia local.

Eavey, un educador cristiano norteamericano, ha dicho que "una historia de la educación que es verdaderamente cristiana traza a través de los tiempos el desarrollo de la educación que comenzó con Dios, continuó centrándose en Dios, y ahora se propaga bajo la dirección de Dios." Parece, pues, que un estudio de la educación cristiana no debe comenzar con una historia más reciente que la del antiguo Israel.

I. CENTROS DE EDUCACION EN ISRAEL

El hogar

Desde el principio de los tiempos, el hogar o la familia ha sido la institución educacional primordial en la tierra. Cuando se lee el Antiguo Testamento y otra literatura del período veterotestamentario y se comienzan a entender los principios de la raza humana desde la perspectiva hebrea, se comprende que el plan básico de Dios siempre ha sido que la educación de su pueblo comenzara en el hogar. En la cultura hebrea, los niños ocupaban un lugar de suma importancia (Sal. 127, 128; Job 5:25, etc.). Por lo tanto, la educación de los niños también era una prioridad alta. Una de las funciones más importantes de los padres hebreos era la educación adecuada y correcta de sus hijos. Varios pasajes del Antiguo Testamento nos indican esto: Exodo 12:26, 27; Deuteronomio 4:9,10; 6:4-7; 11:18,19; etc. La vida empezó en la familia y, por lo tanto, la enseñanza también comenzó allí.

En la literatura más antigua no se encuentran maestros; es decir, personas específicamente responsabilizadas por la comunicación de la fe (educación religiosa) a los niños. Más bien, los niños eran miembros-participantes de una comunidad de nutrición en la cual sus padres tenían la responsabilidad mayor. En general, las madres cuidaban y enseñaban a las hijas y los padres a los hijos. Se podría captar un cuadro mental de la enseñanza diaria de los niños hebreos imaginando las preguntas de los niños y las explicaciones de los padres, en el intercambio de ideas que formaban una parte integral y normal de las tareas cotidianas.

Podemos imaginar que mucho aprendizaje se realizaba cada noche mientras las familias, especialmente los hombres, se sentaban alrededor del jardín (las casas se usaban solamente para dormir) recordando, compartiendo, contando historias y leyendas del pasado. Es muy probable que la educación hebrea se centraba en la familia como resultado de su larga historia como una nación semi-nómada.

El templo

Como se ha explicado, la instrucción generalmente se hizo en el hogar. Por lo general, el niño seguía la profesión de su padre, aprendiendo de él un oficio que le ayudara a sostener su propia familia. Sin embargo, habían ocasiones cuando otras formas de educación eran aparentes. El ejemplo más conocido es la historia de Samuel, cuyos padres le entregaron al sacerdote Elí para criarle y enseñarle. La historia de Samuel no se debe considerar como un caso aislado. El hecho de que Samuel era de la tribu de Efraín y no de la de Leví (la tribu de los sacerdotes), indica que existía la preocupación de dedicar algunos niños a Dios en forma especial y permitirles crecer bajo la tutela de un sacerdote.

Además, hay indicaciones de que las clases elevadas emplearon amas o guardianas quienes asumieron el cuidado y la instrucción de los niños a su cargo. (Véase, por ejemplo, Rut 4: 16; 2 S. 4:4; 2 R. 10:5; Is. 49:23; Nm. 11:12; 1 Cr. 27:32).

La sinagoga

Aunque la sinagoga surgió durante el período veterotestamentario (en el quinto siglo a. de J. C.), generalmente se considera como parte de la educación judía. Por lo tanto, aquí solamente se señala que la instrucción en la sinagoga es una parte de la historia del Antiguo Testamento, pero la discusión de tal instrucción se deja para el capítulo 2: La educación judaica.

Las escuelas de profetas

Un fenómeno extraordinario en cuanto a la enseñanza son las escuelas de profetas. Hay referencias a tales escuelas en las narraciones de los ministerios de Elías, Eliseo y Samuel. Algunos eruditos creen que estas "escuelas" fueron instituciones organizadas con instrucción programada, pero no se puede comprobar tal opinión.

Sin embargo, no se discute que los profetas desempeñaban un papel importante en la educación del pueblo. Los profetas, sacerdotes y reyes ejercían responsabilidades únicas como figuras nacionales. En relación con el sistema religioso sacrificial, los sacerdotes tenían la función más importante. En relación con la organización político-religiosa, el rey tenía la función más importante. Pero en la práctica diaria, el profeta desempeñaba el papel más importante en la educación. El profeta era la figura central en la educación nacional, debido a sus constantes exhortaciones y recordatorios concernientes al propósito y a la voluntad de Dios para con la nación hebrea y su necesidad de vivir una vida recta y justa.

II. PROPOSITOS DE LA EDUCACION HEBREA

Trasmitir la herencia histórica

Durante todos los años de la vida de Israel, y especialmente durante los años formativos, se hacía hincapié en que las generaciones que habrían de venir necesitarían nutrirse con las poderosas memorias históricas de lo que había acontecido en el pasado. Sería importante que ellos recordaran las vidas de los patriarcas, la servidumbre en Egipto, los pactos entre Dios y el pueblo a través de Abraham, Isaac, Jacob y Moisés, y los demás eventos culminantes en el desarrollo de la vida del pueblo de Dios. Sería necesario que su herencia como el pueblo de Dios se arraigara firmemente en sus mentes. Dicha trasmisión de la herencia histórica fue un propósito importante, pues, de la instrucción en Israel.

Instruir en la conducta ética

Un segundo propósito importante para la educación fue enseñar cómo se puede lograr alcanzar la alegría en la vida. En la historia hebrea más antigua se ve este énfasis en el comportamiento ético, el cual afecta el grado de alegría que se alcanza. Se indica esta verdad a través de la literatura de la ley (véase, por ejemplo, Ex. 20:12) tanto como en otra literatura que apareció luego (en Proverbios, por ejemplo).

Asegurar la presencia y la adoración de Dios

El enfoque de la educación hebrea siempre trataba el conocimiento y la adoración de Dios y la obediencia a él. A través de la historia, Dios ha sido el centro de la educación. El hombre siempre ha procurado saber algo de su existencia, propósito y lugar en el mundo. En el pueblo que se consideraba escogido específicamente como pueblo de Dios para realizar sus propósitos, los hebreos enfocaban su enseñanza en Dios quizá más que cualquiera otro pueblo en la historia del hombre. Los hebreos procuraban vivir y enseñar la santidad delante de Dios.

III. CURRICULO

La palabra currículo se usa en muchas maneras. Para los propósitos de este capítulo, "currículo" significará el contenido de la relación dinámica entre la enseñanza y el aprendizaje. Se explorarán varios tipos o fuentes de currículo.

Folklore, simbolismo y ritual

Anteriormente se notó como los asuntos de importancia pasaban, en los hogares, de padres a hijos. Mucho de lo que se trasmitía era *folklore,* o lo que se llama tradición oral. El *folklore* se trasmitía mayormente a través de la celebración de festividades y ceremonias. Por lo tanto, el calendario hebreo fue una herramienta educacional muy importante, porque en ciertos días del año fue dada una instrucción especial en cuanto a los eventos conmemorativos.

Habían tres fiestas principales (y también varias menores) en el calendario. Cada una tenía un significado en cuanto a la vida agrícola y además un significado histórico. La Pascua representaba el principio de la cosecha y conmemoraba la libertad de los hebreos de la esclavitud en Egipto. Pentecostés representaba la finalización de la cosecha y conmemoraba la llegada de los hebreos a Sinaí, donde recibieron la ley. La fiesta de los Tabernáculos representaba una época en la cual los agricultores vivían en tiendas en sus campos mientras cosechaban, y conmemoraba los años que Israel vivió en el desierto.

Los significados de estos eventos eran discutidos informalmente y, mientras los niños se sentaban para escuchar o mientras se realizaba alguna festividad especial de conmemoración, se hacían preguntas. Con las preguntas de curiosidad y sus respuestas respectivas, los niños aprendían acerca de su herencia. (Véase, por ejemplo, Dt. 6:5-7; Jos. 4:21, 22). Así que, los actos simbólicos, las prácticas rituales, las fiestas y la trasmisión de la tradición oral se convirtieron en herramientas principales de instrucción. Según la ley, el padre tenía la obligación de explicar a su hijo el significado de las fiestas y de los ritos y rituales que las acompañaban. (Véase, por ejemplo, Ex. 13:8). No fue una tarea muy difícil, porque la curiosidad y el interés en las actividades de un día feriado impulsaban al

niño a hacer preguntas y, al contestarlas, el padre cumplía con
su obligación.

La ley

La enseñanza de la ley se relacionaba mucho con la
enseñanza a través del *folklore,* el simbolismo y el ritual. No se
puede enfatizar demasiado la importancia de la ley como un
elemento de educación. Los primeros cinco libros de la Biblia,
los llamados libros de Moisés, integran los que se consideraban
los libros de la ley. En el idioma hebreo, los rollos de Moisés se
llamaban *Tora* (Versión de los Setenta en Griego), una
palabra que por costumbre se traduce "ley". En realidad, *Tora*
significa "instrucción". Es decir que *Tora* fue el medio que
Dios usó en ese lapso de tiempo histórico para enseñar a su
pueblo. Se podría decir, pues, que la *Tora* o ley fue la clave en
la educación nacional. Los adultos aprendían a través de ella y
pasaban lo aprendido a sus hijos.

Actividades cotidianas de enseñanza

La enseñanza diaria de los niños, además de su herencia
histórica, fue básicamente un entrenamiento en cuanto a su
utilidad para la familia y para la sociedad, y también un
entrenamiento en las artes. Habían muchas artes y vocaciones
que aprender, como pastorear, trabajar en la agricultura,
cocinar, hornear, coser, tejer, hilar, tanto como artes gráficas,
música, danza y artesanía (1 S. 16:18; Jue. 21:21; Sal. 137;
Jer. 31:13; Lm. 5:14; 2 S. 13:8; Ex. 35:25, 26; Gn. 29:6; Ex.
2:16).

Literatura de sabiduría

Los libros de Proverbios y Eclesiastés contienen una
especie de pedagogía que merece mencionarse por su valor
educacional. (El autor se da cuenta de que hay problemas con
las fechas de la producción de estos dos libros. Es posible que
no pertenezcan a este mismo período hebreo, sino al período
siguiente, el de los judíos propiamente dicho.)

No se presentan aquí detalles, sino solamente referencias
para que el lector haga su propia investigación y estudio.
Según algunos proverbios, hay herramientas que la familia

puede usar en la crianza de los niños. Las mismas se pueden usar en la áreas de:
1. Instrucción: Pr. 1:8; 6:20, 23.
2. Modelado: Pr. 20:7; 23:26; 13:20.
3. Disciplina: Pr. 3:11, 12; 19:20; 29:15; 22:15.

IV. PRINCIPIOS Y METODOS EDUCACIONALES DEL ANTIGUO TESTAMENTO

Se podría concluir que en el Antiguo Testamento se manifestaban muchos principios educacionales y métodos de enseñanza. Se mencionarán algunos pocos.

Principios educacionales

Hay, por lo menos, seis principios obvios:
1. La educación fue un mandato directo de Dios.
2. El prototipo de todos los maestros fue Dios mismo; por lo tanto, la enseñanza tenía autoridad y sanción divinas.
3. La disciplina fue un ingrediente necesario.
4. El oficio de enseñar se consideraba sagrado porque mientras Dios enseña, él inspiraba también al hombre a enseñar.
5. La instrucción de los niños empezaba a una edad muy temprana.
6. El principio fundamental para la enseñanza, especialmente de los niños, fue enseñar poco a poco.

Métodos

Habían tres métodos principales para la enseñanza eficaz:
1. El uso de la enseñanza oral.
2. El uso de procedimientos nemotécnicos.
3. El uso de parábolas para instrucción moral.

Conclusión

Cuando se habla de educación entre los hebreos, de hecho se está hablando de educación religiosa. Hay que darse cuenta de que la educación entre los hebreos fue casi exclusivamente educación religiosa. Si pudiéramos hacer una paráfrasis de las palabras de Barclay, concluiríamos diciendo que, dado que la fidelidad, la obediencia a Dios y la consideración de su lugar en la vida de la nación israelita fueron una parte tan integral de la educación, la misma debe entenderse como educación religiosa.

Preguntas para el repaso

Después de leer el texto, responda a las siguientes preguntas:

1. ¿En qué consiste la educación religiosa que precedió a la educación cristiana?
2. Según el educador Eavey, ¿quién comenzó la educación?
3. ¿Por qué sería un error estudiar la educación cristiana sin estudiar los principios de la educación entre los hebreos?
4. ¿Cuál fue la institución primordial de la educación de los hebreos?
5. En sus propias palabras, ¿qué dicen los siguientes pasajes en cuanto a la importancia de los niños en el hogar? Salmos 127 y 128.
6. En sus propias palabras, indique qué se enseña en los pasajes siguientes acerca de la educación de los niños. Exodo 12:26, 27; Deuteronomio 4:9, 10; 6:4-7; 11:18, 19.
7. Según el ejemplo veterotestamentario, ¿cuál es la responsabilidad de un padre para con sus hijos?
8. ¿En qué sentido fue importante el intercambio diario, es decir las relaciones personales, en la educación de los hebreos?
9. ¿Qué significa para usted que un niño sea parte de una comunidad de nutrición?
10. Samuel es un ejemplo de una variación del sistema normal de educación. Describa en qué fue diferente su educación.
11. ¿Qué fue una escuela de profetas?
12. ¿Por qué el profeta fue la figura central en la educación nacional?
13. Escriba un párrafo sobre el papel educacional del rey, del sacerdote y del profeta.
14. ¿Qué significa: "El prototipo de todos los maestros fue Dios mismo"?
15. ¿Cuáles fueron los tres propósitos de la educación hebrea?

16. ¿En qué sentido el calendario hebreo fue una herramienta de instrucción?
17. Mencione cuatro principios educacionales que se encuentran en el Antiguo Testamento.
18. ¿Qué son procedimientos nemotécnicos?
19. ¿Qué son parábolas?

Temas de discusión

1. ¿Cuáles son las relaciones entre todo lo dicho en este capítulo y la educación cristiana?
2. ¿Cuáles son las fiestas, los días santos y los ayunos principales y secundarios del calendario hebreo y qué tienen que ver con la educación?
3. ¿En qué sentido fueron las siguientes personas los agentes de la educación religiosa?
   Padre, rey, sacerdote, profeta.
   En cada caso, ¿qué grado de eficiencia lograron en su papel?

Capítulo 2

LA EDUCACION JUDAICA

Introducción

Como se enfatizó en la conclusión del capítulo anterior, toda la educación hebrea fue educación religiosa. Siguió siendo educación religiosa mientras el pueblo hebreo se desarrollaba hasta extenderse como el pueblo judío. (El judaísmo propiamente dicho nació con las reformas de Esdras en el siglo sexto a. de J.C.) La educación hebreo-judaica no llegó a ser educación formal hasta la institución de la sinagoga, en el siglo quinto a. de J. C. La palabra "escuela", como un lugar donde se enseña a los niños, no aparece en la Biblia hasta el Nuevo Testamento.

En este capítulo, es nuestra tarea llegar desde la educación veterotestamentaria informal, que mayormente fue tradición oral, hasta un tiempo cuando las escuelas, o sea la educación formal, se hizo la norma. Hay muchísimas cosas de la cultura judaica que sería interesante estudiar y posiblemente algunas de ellas ayudarían a nuestro entendimiento. Sin embargo, esta investigación está limitada a un estudio breve y general de la sinagoga, la institución más importante en cuanto a la educación y la sociedad de la cultura judaica. El estudio de la sinagoga cubrirá varios siglos, para cerrar la brecha entre la educación hebrea y la educación judaica como se percibía en los tiempos neotestamentarios.

I. LA SINAGOGA

Principios

En la Diáspora, los descendientes de Abraham, Isaac y Jacob necesitaban un lugar al cual ir para adorar y aprender.

Al ser desterrados, se les forzó a dejar su santo templo y su tierra, y desde aquella época se embarcaron en una jornada larga y árida como nación y raza, tratando siempre de mantener su identidad como el pueblo de Dios. Al encontrarse en Babilonia sin el templo, la sede de su relación con Jehová Dios, tuvieron que desarrollar una alternativa a su sistema religioso, el cual se centraba en el templo. Tal alternativa tomó la forma de la sinagoga local.

Se puede decir con certidumbre que la sinagoga fue instituida por el siglo tercero a. de J. C., y posiblemente antes. La idea de tener centros locales con propósitos de adoración, estudio de la ley y la enseñanza de los niños, fue aceptada no solamente entre los judíos de la Diáspora sino también entre los que regresaron después a Palestina. Cuando empezó la era neotestamentaria, cada ciudad importante tenía una sinagoga. En los lugares donde había poblaciones grandes de judíos (Jerusalén, Roma, Antioquía, Alejandría, etc.) existían varias sinagogas. Posiblemente existían unas 480 en Jerusalén en el siglo tercero a. de J. C.

En otras disciplinas, el alumno podrá estudiar los significados teológicos e históricos de la institución de la sinagoga. Lo importante para este estudio es que existía una relación íntima entre la ley (instrucción) y la sinagoga. Esta relación fue tan íntima en los tiempos neotestamentarios que hay indicaciones de que se pensaba que la sinagoga siempre había existido como parte de la herencia judaica (véase Hch. 15:21). Algunos historiadores judaicos, como Josefo y Filón, decían que la sinagoga tenía sus principios en la época de Moisés.

Organización

Cada congregación local fue servida por su sinagoga, generalmente en asuntos administrativos tratados por una junta directiva de tres personas. Cada sinagoga tenía dos oficiales elegidos. El presidente *(archesynagogos)* tenía la responsabilidad de la dirección de la adoración, y de nombrar las personas para leer, orar y exponer las Escrituras. El siervo *(hazzan)* se encargaba de los rollos de las Escrituras y señalaba las personas escogidas por el presidente para su participación en el culto. A veces, el siervo también se encargaba de enseñar a los niños.

La sinagoga se responsabilizaba por la disciplina de las personas quienes quebrantaban la ley de Moisés. Los sacerdotes y escribas aparentemente no ocupaban un lugar especial en la vida de la sinagoga ni en la comunidad. Sin embargo, una persona conocida como un buen *rabí* podía ser invitada a exponer y un sacerdote, generalmente presente, pronunciaba la bendición. (Fue este sistema informal el que permitió que Jesús predicara con facilidad en las sinagogas.)

Adoración

Se requería la presencia de diez hombres para conducir un culto de adoración. El culto incluía la confesión de un Dios, oración, lectura de las Escrituras, e instrucción concerniente a la voluntad de Dios. Las oraciones fueron elevadas con la misma regularidad que los sacrificios en el templo en los días anteriores. Se realizaban cultos los días sábado, lunes, jueves y días de fiesta. El alumno debe recurrir a otras fuentes para un entendimiento más amplio acerca del interesante contenido de los cultos de la sinagoga judaica.

Instrucción

La instrucción general básicamente se componía de lecturas y exposiciones de las Escrituras. Un punto interesante es que no se permitía la recitación de las Escrituras de memoria, a pesar de que todo el mundo memorizara una gran parte de ellas. Se temía que, al recitar, posiblemente entrarían alteraciones inesperadas de las palabras sagradas. Cualquier hombre de la congregación podía leer y generalmente la lectura se tomó de la *Tora*. La lectura se hacía en el idioma hebreo y luego se traducía al arameo, la lengua vernácula. Tales traducciones llegaron a ser propiamente una tradición oral, y tomaron una forma escrita *(targum)* en el siglo quinto d. de J. C. En los días de Jesús, estas traducciones en forma oral eran comunes. (Por ejemplo, Marcos 4:12 se refiere a Isaías 6:9, 10, pero las palabras corresponden más al *targum* que a la Biblia hebrea.)

En el tiempo de instrucción, a veces había una lectura de los profetas después de la lectura de la ley. Muchas veces el culto o período de instrucción concluía con esta segunda lectura aunque, como se dijo antes, se permitía una predicación por cualquier miembro masculino de la comunidad.

Por ser el lugar donde se enseñaba la ley, la sinagoga ganó la reputación de ser la "casa de instrucción." Como se ha explicado antes, la instrucción formaba una parte del culto de adoración y, por eso, acontecía en el lugar de adoración. Había, sin embargo, un lugar aparte con el propósito más específico de instrucción. Allí, los niños estudiaban la ley, guiados por un maestro. El maestro ocupaba un lugar de respeto y honor.

Hay una antigua admonición tradicional que dice que si la vida del padre y del maestro de alguien se encontraran en peligro, el maestro debe ser salvado primero.

La instrucción de los niños en la sinagoga es más semejante a nuestra escuela primaria que a nuestra escuela dominical. Además de la primaria, los jóvenes eruditos también estudiaban en la sinagoga. Bajo la tutela de los escribas, aprendieron a exponer la ley. El alumno serio querrá investigar otras fuentes que expliquen los estudios de estas personas y cómo aprendieron a interpretar y exponer la ley.

Este bosquejo muy breve y superficial de la sinagoga, sirve como el medio para ayudarnos a llegar desde la educación centrada en la familia hasta una educación más formal. La educación judaica formal se considerará en el capítulo siguiente.

II. EDUCACION PRIMARIA

Puede ser que el lector se esté preguntando por qué es necesario estudiar la educación judaica formal. Se debe tener en mente que toda la educación judaica fue educación religiosa y por eso fue la predecesora de la educación cristiana.

En el Nuevo Testamento, la palabra "escuela" se menciona una sola vez (Hch. 19:9). En el Talmud, sin embargo, la importancia de las escuelas es enfatizada una y otra vez. En el Talmud se encuentran discusiones sobre los sueldos de los maestros, sobre competencia entre maestros y dice que Jerusalén contaba con 480 sinagogas, cada una con su escuela. Tan importantes fueron las escuelas que el Talmud recomienda que los pueblos sin escuelas deben destruirse. Hay muchas cosas que se pueden aprender del Talmud en cuanto a la educación. Escogeremos unas pocas de éstas para ampliar nuestra comprensión de la educación judaica.

Dos hombres grandes

Barclay, en su obra informativa *Educational Ideals in the Ancient World* ("Ideales educacionales en el mundo antiguo"), sugiere a sus lectores que deben aprenderse dos nombres en la historia educacional de los judíos. Ellos son Simón ben-Shetach y Josué ben-Gamala.

Simón ben-Shetach vivió en el siglo primero a. de J. C. No se sabe mucho de la vida personal de este hermano de la reina Alejandra, de Judea. Su nombre es importante porque fue él quien hizo obligatoria la asistencia de los niños a la escuela primaria. Simón no fue responsable de empezar escuelas primarias, porque las prácticas registradas de la sinagoga indican que ya existían. Pero en una época en la que el helenismo amenazaba al judaísmo, Simón pidió una adhesión más estricta a una práctica ya común.

Josué ben-Gamala fue sumo sacerdote en los años 63-65 de la era cristiana. Según el Talmud, Josué universalizó la educación primaria, exigiendo que todos los niños judíos empezaran sus estudios formales a la edad de seis o siete años. Se le puede dar crédito a ben-Gamala por hacer más eficaz el sistema educacional y por hacerlo universal en toda la nación. Se dice en el Talmud que si no hubiera sido por él, la ley hubiera sido olvidada en Israel.

Lo que se puede decir, pues, de la educación pública de los judíos es que "recibió de Simón ben-Shetach un nuevo ímpetu, y de Josué ben-Gamala una forma nueva y más eficiente." (Barclay).

Prácticas educacionales - resumen

Ya se dijo que la educación de un judío comenzaba en su hogar. La educación empezaba casi cuando el niño aprendía a hablar. Habían muchas prácticas educacionales en el hogar como se vio en el capítulo primero. Una de las más interesantes, quizá, fue el uso de la *mezuzá*. La *mezuzá* era una caja cilíndrica que contenía las palabras de Deuteronomio 6:4-9 y 11:13-21. Cuando una persona salía de o entraba en la casa, tocaba una abertura de la cajita, besaba su dedo y pronunciaba una bendición. El niño, siendo impresionable y viendo que todos lo hacían, comenzaba a hacer preguntas al respecto. Así empezaba su educación en la ley y en la tradición de su pueblo. Cuando el niño llegaba a la edad de la pubertad, era considerado como responsable de guardar la ley. Entonces, antes de ir a la escuela, ya estaba aprendiendo mucho de la ley.

Ir a la escuela era el segundo paso en su formación educacional. Generalmente, iría a la sinagoga, aunque hay evidencias también de que a veces las clases se realizaban en el hogar del maestro. En la escuela, se consideraban los sentimientos físicos y emocionales. Para asegurar buenas relaciones entre alumnos y maestros, existía la práctica de limitar la proporción entre los mismos. En general, un maestro sólo podía tener hasta veinticinco alumnos a su cargo. Cuarenta alumnos requerían un maestro ayudante y cincuenta alumnos requerían dos maestros.

Los alumnos se sentaban en el suelo, a los pies de su maestro. Su texto fueron las Escrituras. Por eso, la sinagoga se llamaba *Beth-Ha-Sepher* ("La casa del libro"). La instrucción fue teórica y práctica. Había que estudiar y practicar la ley.

En cuanto a los métodos de enseñanza hay dos cosas que recordar. Primera, la enseñanza judía se basaba enteramente en instrucción oral. Segunda, el aprendizaje fue a través de repetición y memorización. El alumno judío tenía que memorizar cantidades tremendas de material textual. El mínimo básico de material para memorizar incluía Deuteronomio 6:4-9; 11:13-21; Números 15:37-41; Salmos 113-118; Génesis 1-5; Levítico 1-8.

El maestro fue muy respetado y tuvo que exhibir altas cualidades morales. Generalmente, el maestro era bivocacional. Trataba a sus alumnos con respeto y paciencia, siendo un buen ejemplo, y evitando prácticas que pudieran desanimar al niño.

Para concluir este capítulo, se presentan, en paráfrasis, algunas palabras de Barclay. El sugiere, con mucha razón, que el ideal primordial de la educación de los judíos es el de santidad, de diferencia, de separación de todas las demás naciones, para pertenecer a Dios. Por lo tanto, su sistema educacional fue nada menos que el instrumento por el cual su existencia como nación, y el cumplimiento de su destino, fueron asegurados.

Preguntas para el repaso

Después de leer el texto, responda a las siguientes preguntas:

1. ¿Qué fue la Diáspora? ¿En qué sentido contribuyó la Diáspora al desarrollo de la sinagoga?
2. ¿Por qué se dice que existía una relación íntima entre la ley y la sinagoga?
3. ¿Cuál sería la relación entre el *targum* y la educación?
4. ¿Cuáles fueron las responsabilidades del *archesynagogos* y del *hazzan*?
5. ¿Por qué es necesario emplear fuentes extra-bíblicas para entender la educación del tiempo neotestamentario?
6. ¿Qué es el Talmud? ¿Qué importancia tiene para el estudio de la educación religiosa?
7. ¿Qué práctica de la sinagoga le facilitó a Jesús el predicar en varias sinagogas?
8. ¿Cuáles fueron los elementos de un culto en la sinagoga?
9. ¿Qué es el *targum*?
10. ¿Por qué la sinagoga fue conocida con el nombre de "casa de instrucción?"
11. Describa la *mezuzá* y su significado educacional.
12. En la educación cristiana, ¿existen símbolos, semejantes en principio a la *mezuzá,* que tengan valor educacional? Si existen, nombre algunos.
13. ¿Por qué fue llamada la sinagoga "la casa del libro"?
14. Para que usted entienda el volumen de material que el alumno judío tuvo que memorizar, lea los pasajes básicos de memorización (Dt.6:4-9; 11:13-21; Nm. 15:37-41; Sal. 113-118; Nn. 1-5; Lv. 1-8).
15. Piense en varios principios de la educación judía que se podrían aplicar a la educación cristiana. Según su nuevo entendimiento de la educación judía, sugiera cuando menos seis principios.

Temas de discusión

1. Discutir los principios sugeridos en la pregunta 15. ¿Cuáles serían algunos usos y prácticas de tales principios? ¿Qué pasos habrían de tomarse para emplearlos? ¿Hay algunos principios de la educación judía que no deben ser adaptados a la educación en la iglesia local?
2. Si está disponible una copia del Talmud o algunas partes de éste, sería interesante leer y discutir algunas porciones que enfatizan la importancia de la educación en la vida de los judíos.

Capítulo 3

JESUS COMO MAESTRO

Introducción

Las dos primeras partes de este libro hablan de las bases bíblicas e históricas de la educación cristiana. Se debe insistir, enfáticamente, que Jesús de Nazaret es la base bíblica e histórica personificada de la educación cristiana. Es decir, que es muy probable que las educaciones hebrea y judaica que se han discutido anteriormente, no tendrían más efecto en los cristianos de hoy en día que cualquier otro sistema educacional antiguo, si el Jesús histórico no hubiera aparecido en escena. Es por Jesús que la educación hebrea y la educación judaica empezaron a caracterizarse a través de un período largo de tiempo, con características identificadas como cristianas, formulando así la educación cristiana. De manera que, es importante que el estudiante de educación cristiana piense en esta base, la cual permitió que las influencias hebreas y judías se hicieran educación cristiana para quienes eligieron creer lo que Jesús enseñaba.

Es obvio que Jesús fue conocido como un maestro. Hay numerosos ejemplos de esto —sus discípulos lo llamaban maestro, él enseñó con éxito a las multitudes, Nicodemo confesó que Jesús había venido de Dios como maestro, y hay muchas referencias a él como uno que enseñaba. La palabra discípulo (alumno) se usa más de doscientas veces refiriéndose a sus seguidores. No hay duda en el texto bíblico de que Jesús fue un maestro. Si los que estamos involucrados en la educación que llamamos cristiana vamos a cumplir bien nuestra responsabilidad, debemos aprender de él, que fue el primer educador cristiano.

Para un estudio más amplio sobre este tema el alumno puede usar *Jesús el Maestro,* por J. M. Price (C.B.P.) y la guía de estudio correspondiente. En su mayoría, las ideas presentadas en este capítulo fueron inspiradas por un artículo de Valerie Wilson, "Christ the Master Teacher" ("Cristo, el maestro ejemplar"), en *Introduction to Biblical Christian Education* ("Introducción a la educación cristiana y bíblica").

I. LAS CUALIDADES DE JESUS COMO MAESTRO

Es muy probable que el niño Jesús aprendió en la sinagoga como los demás niños judíos. Aparentemente, sus maestros le enseñaron bien, porque en varias maneras demostraba sus habilidades educacionales. En primer lugar, Jesús practicaba las artes literarias. Es decir, que demostró su habilidad de leer (con autoridad) en la sinagoga (Lc. 4:16-20); aunque no escribió un libro, ni un folleto, ni cartas, etc., demostraba su familiaridad con la habilidad de escribir (Jn. 8:6). Sus palabras dichas en la cruz (según Mt. 27:46), indican que sabía el idioma vernáculo arameo y también el idioma de los patriarcas, el hebreo. Según los evangelistas, especialmente Mateo, conocía profundamente las escrituras sagradas, porque de ellas frecuentemente citaba pasajes de memoria. Jesús creía en la enseñanza (Jn. 13:13) y fue un maestro por excelencia. Todo esto significa que Jesús no fue analfabeto y que aprovechaba bien todo lo que le ofrecía la educación judía de su tiempo. En muchos aspectos no fue muy diferente a otros maestros contemporáneos, aunque su enseñanza tuvo un saber propio y especial.

Además de sus habilidades literarias, Jesús poseyó algunas cualidades especiales que le servían en su enseñanza. Tenía una familiaridad con las tradiciones y leyes orales de su pueblo (Mt. 5:21, 27, 31, 38, 43). Tenía una comprensión profunda de la naturaleza humana, que le ayudó a discernir los pensamientos y sentimientos íntimos de las personas con las cuales se encontraba (Mt. 9:4; Jn. 1:47; 2:25). Jesús enseñaba con autoridad (Mt. 7:28, 29). Las enseñanzas de los escribas eran de segunda mano, pero la enseñanza de Jesús era fresca, pura, autoritativa. Y, más importante que nada, Jesús tuvo la cualidad de encarnar la verdad (Jn. 14:6). Jesús fue ciento por ciento lo que enseñaba; de modo que inspiró confianza en todo lo que dijo.

II. LOS ALUMNOS DE JESUS

Hay tres cosas breves, pero importantes, que queremos discernir considerando las personas a las cuales Jesús enseñó. En primer lugar, sus alumnos no fueron perfectos. Jesús, como usted y yo, tuvo que enseñar a personas con problemas, con falta de entendimiento, con sus propios puntos de vista (Pedro, por ejemplo), y con muchos conceptos inadecuados para entender bien su mensaje.

Jesús no fue un buen maestro porque sus alumnos fueron buenos alumnos. Jesús fue un buen maestro a pesar de sus alumnos limitados. A los discípulos de Jesús les faltaba mucho, pero él les enseñó conceptos nuevos que cambiaron el mundo. J. M. Price ha sugerido que "tomar este pequeño grupo de personas sin desenvolvimiento, de individuos que parecía que no tendrían éxito, y hacer de ellos un grupo de personas bien desarrolladas en todos sentidos, personas que llegaron a ser una inspiración para el mundo, es una maravilla del arte de la enseñanza. Esta maravilla no ha sido sobrepasada por ningún maestro a través de las edades, y ha sido una inspiración y un aliento para todos los maestros cristianos que han existido desde entonces."

Segundo, Jesús enseñaba principalmente a adultos, aunque no exclusivamente. Cuando se piensa en las multitudes que le seguían y en quienes le escuchaban, lógicamente uno piensa en adultos, hombres y mujeres. Puede ser que fuera así, aunque no se puede excluir la presencia de niños en los gentíos. (Por ejemplo, a veces bendijo a los niños y en una ocasión usó el almuerzo de un niño para darle de comer al gentío.)

Tercero, parece que a través de su ministerio, había un patrón general que seguía su enseñanza. En la primera parte de su ministerio enseñaba mayormente a individuos, después a las multitudes, y hacia el final de su ministerio, otra vez a individuos. Quizá el aspecto más importante de su ministerio de enseñanza fue que aprovechó cada oportunidad para enseñar. En términos educacionales modernos, aprovechó cada momento susceptible de enseñanza.

III. LOS PROPOSITOS DE JESUS EN LA ENSEÑANZA

El propósito primordial de Jesús en la enseñanza fue cambiar vidas y no afectar meramente las emociones o el intelecto. Este propósito general penetraba todos los propósitos más específicos de su enseñanza. Según Wilson, hay cinco clasificaciones de los propósitos de Jesús en la enseñanza. Primera, Jesús buscaba convertir sus alumnos a Dios. Por supuesto, fue por eso que Jesús vino al mundo: para iniciar el reino de Dios en la tierra a través de los corazones cambiados y entregados a él. Segunda, Jesús quería que sus alumnos formaran ideales correctos (Mt. 5:48). Su enseñanza demandó una nueva ética y una nueva interpretación de las reglas y normas sociales (en este caso, de la ley). Tercera, Jesús se proponía desarrollar la armonía entre las personas. En verdad, Jesús proclamó como el segundo mandamiento la armonía. La única responsabilidad mayor es la armonía con Dios (Mr. 12:28-31). Cuarta, Jesús quería profundizar las convicciones de sus alumnos. Usaba algunas técnicas para ayudar a sus alumnos a verificar y reforzar sus creencias y convicciones (Jn. 21:15, 17). Usaba con ellos preguntas que sondeaban sus pensamientos y sentimientos íntimos y profundos. Y, quinta, Jesús tenía el propósito claro de entrenar a sus discípulos para continuar su enseñanza después de él. Les (nos) dejó hasta una fórmula para seguir sus enseñanzas (Mt. 28:19, 20).

IV. LOS METODOS DE JESUS

En realidad, las técnicas que usaba Jesús mayormente fueron sencillas. Una técnica fue solamente llamar la atención o asegurar la atención de sus oyentes. Lo hizo en varias maneras: iniciando una conversación (Jn. 4:7-9); haciendo preguntas (Mt. 16:13); invitando al compañerismo (Mr. 1:17); llamando a las personas por su nombre (Jn. 1:42); y empleando palabras que llamaran la atención (oíd, de cierto, de cierto, etc.).

Cada maestro tenía su propio estilo de enseñanza y Jesús no fue la excepción. Su estilo fue sencillo, pero profundo. Fue un estilo que empleaba mucho el simbolismo, pero también fue fresco y directo. Se puede ilustrar su estilo en dos maneras principales.

En primer lugar, enseñó lo desconocido partiendo de lo conocido. Es decir, que Jesús empezaba su enseñanza en el punto preciso en el cual se encontraban sus oyentes y desde allí les guiaba hasta donde él quería que llegaran en su entendimiento. También empleó un lenguaje entendido por ellos para enseñarles cosas que no entendían. Por ejemplo, usó el término "agua" para enseñar acerca del agua viva, es decir, de la salvación. También habló de la ley, un concepto entendido por todo judío, para enseñar la teología nueva, que todavía no entendían.

En segundo lugar, Jesús enseñó conceptos abstractos en términos concretos. Es decir que, para enseñar abstracciones espirituales, tuvo que usar ejemplos concretos para que fuera entendido. Un ejemplo de esta parte de su estilo se puede ver en su uso de la frase "el reino de Dios es semejante. . . "

Su estilo de enseñanza incluía muchas técnicas. Se van a mencionar seis que generalmente se recomiendan como métodos para los maestros de hoy. Primero, Jesús usaba el método de hacer preguntas. En los cuatro relatos del evangelio (Mateo, Marcos, Lucas, Juan) se registran más de cien preguntas que hizo Jesús. Segundo, Jesús contaba historias de la vida diaria (parábolas). Las parábolas que contó estaban dentro del nivel de comprensión de los oyentes, fueron concisas, despertaron el interés y fueron lógicas.

Jesús también usó el discurso o la conferencia. Hay por lo menos tres discursos de Jesús registrados en el Nuevo Testamento: uno que se conoce como el Sermón del Monte, el del aposento alto y el del juicio final. Cuarto, si se usa un poco de imaginación, se puede decir que Jesús usó proyectos o el método de actividades para enseñar. Varios ejemplos se encuentran en Lucas (5:4; 6:1; 10:1-16; 18:22). Quinto, otra vez, con imaginación, se puede ver el uso, por parte de Jesús, de las ayudas visuales. Usó un árbol estéril para enseñar la necesidad de fe (Mt. 21:18-22); una moneda para enseñar la responsabilidad ante el gobierno (Mr. 12:13-17); los campos listos para la siega para enseñar urgencia (Jn. 4:35-39); y otros, no excluyendo, por supuesto, los milagros. Sexto, Jesús, más que cualquier maestro en la historia de la humanidad, enseñó usando el método de ser un modelo bueno en todo lo que hizo. Vivía lo que enseñaba.

Preguntas para el repaso

Después de leer el texto, responda a las siguientes preguntas:

1. ¿Por qué se dice que Jesús es la base histórica y bíblica personificada de la educación cristiana?
2. Mencione algunas razones por las cuales es obvio que Jesús fue conocido como maestro.
3. En el texto, se dice que Jesús no fue analfabeto. ¿Esta verdad tiene algún significado para usted?
4. Mencione tres cualidades especiales para la enseñanza, que tenía Jesús.
5. En su opinión, ¿cuál fue el método más eficaz de los que usó Jesús? ¿Por qué?
6. Defina "parábola."
7. Si Jesús fue un maestro por excelencia y maestro ejemplar, ¿qué significado hay para nosotros en que él fue el ciento por ciento de lo que enseñaba?
8. ¿Qué tenía que ver el propósito primordial de la enseñanza de Jesús con nuestra enseñanza en la iglesia local?
9. Lea los siguientes pasajes, y en sus propias palabras y según su propio entendimiento, interprete cada uno en términos de los propósitos educacionales de Jesús: Mateo 5:48; Marcos 12:28-31; Juan 21:15-17.
10. ¿Cuál es el método que Jesús usó más que cualquier otro maestro en la historia?
11. Los capítulos 14-16 de Juan, 5-7 de Mateo y 24, 25 de Mateo son ejemplos de un método usado por Jesús. ¿Cuál es?
12. Explique los dos conceptos siguientes, concernientes al estilo de enseñar de Jesús:
    a. Enseñar lo desconocido partiendo de lo conocido
    b. Enseñar conceptos abstractos en términos concretos.
13. Mencione dos principios de este estudio del primer educador cristiano que usted puede aplicar a su ministerio actual o futuro en la enseñanza.

14. Lea las páginas 11-20 de F. Edge, *Pedagogía Fructífera*, y haga un resumen de lo que lea.
15. Haga un resumen total o parcial de *Jesús Es el Maestro*, de J. M. Price.

Temas de discusión

1. Discutir los principios de la enseñanza de Jesús y su aplicabilidad a los maestros en la iglesia local.
2. Analizar o evaluar la enseñanza de Jesús. Por ejemplo, ¿usó métodos eficientes de acuerdo a la realidad de sus alumnos? ¿Sus propósitos justificaban los métodos y viceversa? ¿Hubo resultados? ¿Cuáles son algunos resultados específicos?

Segunda parte

BASES HISTORICAS
PARA LA EDUCACION CRISTIANA

Capítulo 4

LA EDUCACION EN LA IGLESIA PRIMITIVA

Introducción

Es difícil separar la historia de la educación, de la historia general del cristianismo del siglo primero. Comúnmente, se estudia la teología, o la actividad misionera, o la escritura de la literatura durante este período, pero no se estudia específicamente la educación. La verdad es que la educación incluye estas cosas, porque la educación del siglo primero sencillaunente fue un intento de educar a la gente en el nuevo camino.

A medida que la iglesia crecía y ganaba más gentiles que judíos, esa instrucción se hizo aún más importante. Debido a que no se encuentra literatura escrita sobre la educación especificamente de este período, hay que buscar la información en el contexto de la predicación, de la actividad misionera, del crecimiento y la expansión de la iglesia, de la producción de la literatura, y de la exégesis neotestamentaria. Obviamente, al ir a estas fuentes para entender la educación cristiana primitiva, se presenta el problema de duplicar información que el alumno pueda encontrar en otros estudios. Por lo tanto, los siguientes párrafos presentan ideas de algunas áreas representativas de la educación de este período.

I. EL CONTEXTO - LA VIDA DIARIA DE LOS CRISTIANOS

Un estudio de la vida diaria de los primeros cristianos nos indicaría mucho en cuanto a la educación de este período. De muchas fuentes a nuestra disposición podemos reconstruir más o menos cómo pasaron los días.

Los cristianos se levantaron al rayar el alba para orar. Generalmente no comían en las mañanas, gastaron poco tiempo en asearse, y no cambiaron su ropa de dormir para el día. Su vestimenta era sencilla y modesta, tal como sus zapatos. Los hombres no se afeitaron, pensando que tal hecho era una ofensa contra la cara.

Los primeros cristianos no fueron a los lugares de entretenimiento de su tiempo, tales como el teatro, el circo o la arena. Usaban los baños públicos (lugares de mala reputación moral), pero con mucha discreción personal. Según los líderes de la iglesia primitiva, un baño tenía los propósitos de sanidad y limpieza para las mujeres y para los hombres el único propósito era de sanidad. Un baño no debía tener el propósito de ser disfrutado.

Su dieta también fue sencilla, una costumbre que cambió mucho en los siglos sucesivos. Dormían en un sofá simple, no en una cama de plumas como sus vecinos grecorromanos. Habían muchas ocupaciones en las cuales no trabajaban, por cuidar su testimonio. Oraban cuando menos tres veces al día a la tercera, sexta y novena horas (es decir, nueve de la mañana, doce y tres de la tarde).

Habían muchas actividades más que separaban a los cristianos de las demás personas en la cultura grecorromana. Las prácticas de los cristianos de las primeras décadas no fueron muy diferentes a las prácticas judías de la época, porque no había mucha diferencia entre el cristianismo y el judaísmo. Pero, a medida que el cristianismo se desarrollaba y empezaba a tener sus propias características, nuevas prácticas e ideas empezaron a formarse. Es allí donde entra nuestro propósito de pensar en su contexto diario. Porque es en el desarrollo del cristianismo en sí que tenemos que preguntar: ¿Cómo sabían los cristianos que debían actuar en forma diferente? ¿Cómo sabían cuáles diferencias debían tener? ¿Cómo sabían los principios que debían marcar la diferencia entre ellos y sus vecinos judíos o griegos o romanos? ¿Cómo entendieron el cambio que sentían en sus vidas —cómo vestirse, cómo actuar, qué comer, qué sentir?

La respuesta muy obvia a todas estas preguntas es: "Se les

enseñó" Este hecho es importante para el que estudia las bases de la educación cristiana, porque se le da a entender que el enfoque del primer siglo del cristianismo fue la educación cristiana —aprendiendo a vivir en el camino. Se podría discutir que algunos de sus entendimientos les llegaron a través de la convicción personal, de la exhortación de la palabra, o de alguna otra fuente. Pero la tarea evangelístico-educacional de la iglesia fue el hilo tejido a través de todas sus actividades, dándoles unidad y propósito.

II. LA EDUCACION A TRAVES DE LA COMUNIDAD CRISTIANA

Adoración y compañerismo

No se sabe mucho de las reuniones cristianas durante las primeras décadas. Generalmente se estudian los períodos posteriores, con la intención de interpolar sus prácticas al período primitivo, o por lo menos, para intentar reconstruir las prácticas primitivas. Una cosa que sí se sabe, es que los actos de adoración y compañerismo del período primitivo fueron instructivos. Los actos simbólicos, como el bautismo y la cena del Señor tenían importantes cualidades educacionales desde el principio y su importancia educacional se intensificó a medida que la iglesia absorbía más y más a gente pagana (durante los siglos posteriores). Fue a través de la Cena y de la predicación que la iglesia aprendió corporalmente de qué se trataba el evangelio, y qué significaba para ella como esposa de Cristo. El bautismo también fue tremendamente instructivo, directa e indirectamente. El bautismo fue el enfoque del catecismo que se desarrolló luego para enseñar y entrenar nuevos convertidos, antes de hacerse miembros oficiales de la iglesia.

El comportamiento consecuente de los primeros cristianos también fue una herramienta de instrucción. Todo lo que tenía que ver con su manera de vivir —la enseñanza de los apóstoles, la comunión *(koinonía)*, las oraciones, la observancia de las ordenanzas, el cuidado entre los hermanos, el amor *(agápe)* —no lo supieron automáticamente los nuevos convertidos. Había que explicárselo y enseñárselo. Además, muchas de las prácticas y contenidos educacionales tenían raíces hebreas y judías, y mientras la iglesia penetraba en el mundo romano, había que enseñárselas a la gente pagana.

La función de la enseñanza

En el Nuevo Testamento, especialmente en las epístolas, y aún más especialmente en las de Pablo, los conceptos de maestro y educación penetran en la literatura, pero a la misma vez no se halla un concepto específico de educación. Es probable que no se consideró necesario definir las creencias acerca de la enseñanza, porque tal cosa fue sobreentendida; fue parte común de la vida cotidiana. Puede ser también que la iglesia sintiera incertidumbre en cuanto a especificar un oficio de maestro. Tal incertidumbre pudiera deberse a la insistencia en que Cristo era el único maestro y que los demás "maestros" eran solamente sus discípulos.

La alusión más directa al oficio de maestro se encuentra en la primera carta de Pablo a los Corintios (12:28). Allí, en su descripción de los dones espirituales, los maestros ocupaban el tercer lugar. Aparentemente, pues, los maestros formaban un grupo especial en la comunidad, porque la implicación es que no todos poseían ese don.

La educación en la iglesia primitiva tenía dos funciones mayores o dos áreas que se enfatizaban más. La primera tenía que ver con el bautismo. Se necesitaba una instrucción formal para ayudar al nuevo creyente a entender lo que hacía al bautizarse. Tal instrucción le servía durante toda la vida como un modelo para su vida diaria. Pero al finalizar el siglo segundo, el proceso del bautismo y la preparación que seguía el candidato, fue muy elaborado (incluía una preparación que duraba tres años y que permitía al nuevo creyente que se involucrara poco a poco en la vida de la iglesia).

No debemos creer que el proceso fue tan complicado en la iglesia del siglo primero. Pero es casi imposible imaginar que algunas de las mismas características de la instrucción acerca del bautismo no fueran inherentes a la iglesia primitiva. Así que, el bautismo y la preparación para el mismo fueron sumamente importantes en el desarrollo de la iglesia. Hay varios pasajes del Nuevo Testamento que pueden ser fragmentos de catecismos (enseñanzas) bautismales. Por ejemplo, véase Colosenses 3:8—4:6; Efesios 4:22—6:19; 1 Pedro 1:4-11; Santiago 1:1-4, 10.

La otra función principal de la educación fue servir como el vehículo para comunicar y conservar una nueva tradición, una tradición cristiana. Semejante a aquella tradición oral de los judíos, esta nueva tradición tenía que ver con las palabras, dichos y hechos de Jesús, especialmente en cuanto a su muerte y resurrección. Estas tradiciones explicaban cómo Jesús había cumplido el Antiguo Testamento y bosquejaban una manera de vivir que alguien seguiría si escogiera comprometerse con un seguidor fiel de Cristo.

A veces la nueva tradición empleaba la misma terminología de la tradición oral de los judíos (por ejemplo, 1 Co. 15:3, 4). Pero, diferente a la tradición judía, estas nuevas tradiciones cristianas no fueron solamente cuentos pasados de generación en generación. Fue, más bien, una tradición viviente de un Cristo vivo.

Las tradiciones que surgían acerca de Jesucristo fueron muy prominentes en los estudios de Antiguo Testamento, o sea de la Biblia hebrea. El estudio del trasfondo hebreo de la historia cristiana fue muy importante para los conversos gentiles. Muchas de las cosas que Pablo escribió, por ejemplo, no hubieran sido entendidas si los cristianos gentiles no hubieran estudiado la escritura judía.

Además de estas tradiciones, sobre cómo la vida y el ministerio de Jesús se relacionaban con las profecías de los israelitas antiguos y con aquellas en cuanto a su muerte y resurrección, también las tradiciones enfatizaban la enseñanza ética. Fue muy importante que los nuevos creyentes entendieran cómo andar en su nueva fe.

III. LA EDUCACION A TRAVES DE LA LITERATURA

La literatura canónica y extra-canónica del período neotestamentario se interesaba mucho en instruir. Como se indicó antes, los conceptos educacionales se daban por sentado en la iglesia primitiva, porque era lógico que para conservar y propagar la doctrina cristiana, había que enseñarla. Como literatura representativa del período, se considerarán dos fuentes literarias de instrucción.

Las cartas de Pablo

Desde el punto de vista del educador, el propósito principal de los escritos de Pablo fue enseñar. Cada carta que escribió a sus hermanos en la fe, sirvió para ayudar a conocer o entender alguna verdad. Se puede decir, por ejemplo, que las cartas a los tesalonicenses fueron escritas para corregir ideas equivocadas en cuanto a y para enseñar acerca de la segunda venida de Cristo. A los corintios, Pablo les escribió para corregir sus condiciones éticas y para enseñarles algunas normas espirituales para guiar su vida social. Escribió a los gálatas para enseñarles que se puede vivir justa y rectamente por fe y por el poder del Espíritu Santo. La carta a los romanos, ese gran tratado doctrinal, enseña que todos los hombres han pecado, que a todos les falta la gloria de Dios, y que todos pueden ser justificados a través de la fe. Pablo enseñó a los efesios las características de la iglesia verdadera; a los filipenses que la experiencia cristiana es una experiencia interna y no depende de circunstancias externas; a los colosenses, el carácter verdadero de Jesús, para refutar una doctrina de legalismo; y a Timoteo y a Tito que el orden debe prevalecer en la iglesia.

Estas últimas cartas, a Timoteo y a Tito, las llamadas cartas pastorales, demuestran un interés especial en la enseñanza. Hay que recordar que, cuando Pablo escribió estas cartas, había envejecido y se preocupaba por la propagación de las doctrinas cristianas. Hayes ha sugerido seis temas generales en las cartas a Timoteo que enfatizan la importancia de la enseñanza. Son las siguientes:

1. La enseñanza es esencial para manejar correctamente la Palabra inspirada (2 Ti. 2:14, 15; 3:16, 17).

2. La enseñanza es necesaria para la firmeza en la fe (1 Ti. 4:6, 11, 16; 6:3-5; 2 Ti. 4:3).

3. La enseñanza es útil para el establecimiento de hogares armoniosos (1 Ti. 6:1, 2).

4. La habilidad para enseñar es un requisito para los pastores y otros líderes espirituales (1 Ti. 3:2; 2 Ti. 2:24).

5. La enseñanza es un corolario esencial de la lectura bíblica, de la exhortación y de la predicación (1 Ti. 4:13; 2 Ti. 4:2).

6. La enseñanza es presentada por Pablo como indispensable para la perpetuación de la fe (2 Ti. 2:2).

La Didaché

La *Didaché* o "La enseñanza de los doce apóstoles", es un libro extra-canónico escrito probablemente cerca del año 90 d. de J. C. Hay discusión en cuanto a su fecha, con opiniones entre el año 60 y el siglo tercero, pero la mayoría de los eruditos lo consideran un libro del siglo primero. Este libro reclama tener instrucción basada en los dichos de Jesús, la que fue enseñada por los apóstoles a los paganos que querían convertirse.

La *Didaché* nos ayuda a comprender qué estaba enseñando la iglesia en el siglo primero y cómo lo estaba haciendo. Consiste de tres secciones principales. La primera describe la moralidad cristiana. Habla de un camino de vida y un camino de muerte y, por supuesto, exhorta a los paganos a escoger el camino de vida que consiste mayormente en la práctica de las virtudes cristianas, y el evitar muchos vicios.

La segunda sección es un resumen de los rituales o las liturgias practicadas en la iglesia. Explica el bautismo, el ayuno, la oración, y sugiere oraciones especiales para una cena del Señor privada.

La tercera sección es un bosquejo de la organización y la vida de la iglesia. Enseña el lugar de los misioneros itinerantes (apóstoles), hombres que hablan en éxtasis (profetas), y maestros en la iglesia. Además, enseña principios para la hospitalidad, apoyo para los profetas (¿económico?) y reglas para el comportamiento para con los oficiales de la iglesia. Exhorta a los cristianos a tomar en serio la vida en la perspectiva del juicio venidero.

Este documento, desde el punto de vista del educador, es uno de los más importantes del siglo primero. Las palabras de Jesús se reconocen fácilmente, más otras enseñanzas que se desarrollaron en la iglesia primitiva.

Preguntas para el repaso

Después de leer el texto, responda a las siguientes preguntas:

1. Describa algunas prácticas diarias de los cristianos del siglo primero.
2. En su opinión, ¿a qué se podría deber la práctica diaria de los primeros cristianos? ¿Se debía todo a creencias espirituales?
3. ¿Cuáles podían ser algunas ocupaciones evitadas por los cristianos del siglo primero?
4. ¿Por qué no había mucha diferencia entre el cristianismo y el judaísmo en el principio?
5. ¿Qué pasaba en el cristianismo que apuró su separación del judaísmo?
6. ¿Qué tiene que ver la respuesta a la pregunta 4 con la educación cristiana?
7. Explique la declaración siguiente: "La tarea evangelístico-educacional de la iglesia fue el hilo tejido a través de todas sus actividades, dándoles unidad y propósito."
8. ¿Por qué se puede decir que el enfoque del primer siglo del cristianismo fue la educación cristiana?
9. ¿En qué sentido fue instructivo el compañerismo cristiano del siglo primero?
10. ¿En qué sentido fue instructiva la adoración del siglo primero?
11. ¿Por qué la iglesia primitiva consideraba necesario aprender y enseñar la historia de los judíos?
12. ¿Por qué había incertidumbre en la iglesia primitiva en cuanto a la creación de un oficio de maestro?
13. ¿Hasta qué punto son educacionales las ordenanzas de Cristo?
14. Explique el valor educacional del bautismo.
15. ¿Tiene un significado especial para usted que el don de maestro ocupe el tercer lugar en la descripción de los dones espirituales enumerados por Pablo?
16. ¿Es necesaria hoy en día una instrucción especial para hacerle entender al nuevo creyente lo que hace al bautizarse? Si usted dice que sí, ¿en qué debe consistir la enseñanza? ¿Debe durar una cierta cantidad de tiempo? ¿Debe ser requerida tal instrucción?

17. ¿Cuál fue la diferencia entre la tradición oral de los judíos y la "tradición nueva" de los cristianos?
18. Distinga entre literatura canónica y extra-canónica.
19. Usando como guía las seis sugerencias de Hayes en cuanto a los temas que se encuentran en la carta a Timoteo, lea los siguientes pasajes, tratando de entender su importancia educacional.
    a. 2 Timoteo 2:14, 15; 3:16, 17
    b. 1 Timoteo 4:6, 11, 16; 6:3-5; 2 Timoteo 4:3
    c. 1 Timoteo 6:12
    d. 1 Timoteo 3:2; 2 Timoteo 2:24
    e. 1 Timoteo 4:13; 2 Timoteo 4:2
    f. 2 Timoteo 2:2.
20. ¿Por cuáles razones afecta la vejez de Pablo su preocupación por la propagación de la doctrina cristiana?
21. Lea las páginas 12-20 de Dana, *El Mundo del Nuevo Testamento,* y explique la relación que existe entre lo que ha leído y la educación cristiana del siglo primero.

Temas de discusión

1. Discutir el valor educacional del bautismo y de la cena del Señor en la iglesia primitiva y en la iglesia de hoy. ¿Cuáles son los pro y los contra de exigir clases bautismales en la iglesia local?
2. Discutir la importancia que tiene para el programa de la iglesia local el reconocimiento de la existencia del don espiritual de ser maestro.
3. Compartir los informes de la lectura asignada de *El Mundo del Nuevo Testamento.*
4. Redactar una lista común de las aplicaciones de este capítulo al programa de educación en la iglesia local.

Capítulo 5

MOVIMIENTOS E INSTITUCIONES HASTA LA REFORMA

Introducción

Como se puede discernir del capítulo anterior, la iglesia primitiva no fue muy organizada y tampoco se identificaba mucho con el entrenamiento formal de los convertidos. Pero, a medida que la iglesia se separaba más y más del judaísmo y desarrollaba su propia identidad y características, surgió la necesidad de desarrollar un proceso de instrucción.

Mientras que el Imperio Romano se debilitaba durante los primeros siglos, la iglesia se fortalecía. Durante este período, la iglesia experimentó con varios acercamientos a la educación. Sus varias maneras de cumplir con la responsabilidad de instruir incluían las escuelas de catecúmenos, para la preparación de los convertidos para el bautismo; las escuelas catequísticas, para instrucción avanzada; las escuelas catedrales, para la preparación del clero local; los monasterios, para los que necesitaban una alternativa; y hasta universidades, para una educación superior.

Cada uno de estos desarrollos merecen nuestra atención y estudio. Pero antes de considerarlos, debemos advertir que estos desarrollos no acontecían en el vacío. Había muchas cosas en el contexto del mundo grecorromano que influyeron en la iglesia en su intento de educarse. Se considerarán algunas de ellas.

I. INFLUENCIAS EN EL DESARROLLO DE LA IGLESIA

En el crecimiento y desarrollo de la nueva iglesia, empezaron a incluirse entre los creyentes personas muy serias e intelectuales de trasfondo grecorromano. El contexto cultural de la época fue uno de filosofía e intelectualismo. Cuando la iglesia se encontraba con personas de tales trasfondos dentro de su membresía, se le hacía un poco difícil instruir a esas personas con enseñanzas sencillas. Habían varias influencias externas e internas relacionadas con el intento de la iglesia de confrontar este problema. Consideraremos algunas de ellas.

Intelectualismo

En los primeros siglos de la era cristiana, tal como antes, el movimiento intelectual fue la *Paideia* griega, es decir, el contexto griego de cultura y los ideales para la vida. Todo el mundo romano había sido afectado por el helenismo y por eso una perspectiva filosófica griega penetraba todas las fases de la vida, especialmente en ciertas clases de gente. La iglesia, por lo tanto, tuvo que preocuparse por el intelectualismo del día si iba a alcanzar a todas las clases sociales para Cristo. Como resultado, muchos de los maestros cristianos de este período (los siglos II, III y IV) fueron convertidos de tales trasfondos intelectuales y trataron de sintetizar la enseñanza cristiana con los ideales filosóficos. Volveremos a este tema más adelante.

Herejías y cismas

Otro factor decisivo en el desarrollo de la educación cristiana durante los primeros cuatro siglos, fueron las diferencias doctrinales entre los líderes que resultaron en herejías y cismas. Las controversias que surgieron en la iglesia concernientes a doctrina y práctica influyeron tremendamente en el ministerio de la enseñanza. Tales controversias, como el Montanismo, Cuartodecimianismo, Arrianismo y Adopcionismo son ejemplos de este tipo de influencia. Al encarar las herejías, la iglesia empezó a adoptar nuevas normas doctrinales. De una sencilla fe neotestamentaria en Cristo, las creencias de la iglesia pasaron a ser más desarrolladas y organizadas. Este hecho, combinado con la separación de la iglesia cristiana del judaísmo, creó la necesidad de informar al público las normas establecidas de la nueva fe. Surgió así, pues, una necesidad de enseñar la fe dentro de la iglesia y también una necesidad de educar en manera general a la sociedad, para que no hubiera equivocaciones acerca de lo que se trataba el cristianismo.

En muchas ocasiones, el intelectualismo del día y las herejías o cismas se combinaron. Uno de los elementos más influyentes de la iglesia primitiva, por ejemplo, fue el movimiento intelectual seudo-cristiano que se llamaba Gnosticismo (salvación a través del intelecto o el conocimiento). Por tales sistemas de pensamiento, la iglesia fue forzada a desarrollar sus enseñanzas propias para contrarrestar las enseñanzas equivocadas.

Los apologistas

Con la aparición de estos problemas e influencias surgió un fenómeno educacional dentro de las filas de la iglesia que merece nuestra atención. En el siglo II, aparecieron hombres conocidos en la historia como apologistas. Estos hombres asumieron por sí mismos la responsabilidad de delinear y explicar la naturaleza filosófica e intelectual del cristianismo a una cultura pagana que era influenciada por los elementos intelectuales de la sociedad y de la filosofía helenistas. En general, los apologistas fueron hombres educados en la cultura clásica y reconocidos como líderes de la iglesia. Los documentos que produjeron defendieron la fe cristiana contra las fuerzas internas y externas que querían destruirla. Se puede resumir el propósito de las apologías con dos puntos sencillos. Primero, intentaron negar acusaciones lanzadas contra los cristianos. Segundo, intentaron conservar las enseñanzas tradicionales que habían venido de la iglesia neotestamentaria. Las apologías, pues, fueron documentos teológicos, sí, pero también fueron documentos educacionales, porque propagaron enseñanzas correctas y negaron enseñanzas falsas.

El desarrollo de la organización de la iglesia

Otro factor influyente en el desarrollo de la educación cristiana fue el avance de una organización más definida en la iglesia. Se considerarán dos aspectos de la organización de la iglesia que afectaron mucho la educación.

*Un ministerio triple.*En el Nuevo Testamento se encuentran tres tipos de ministerio: (1) el papel inspirado de los apóstoles, los profetas y los maestros; (2) los que servían para dirigir cultos o rendir servicios especiales, como presidentes presbiteriales, diáconos y viudas; y, (3) los responsables de la disciplina y la administración, llamados los presbíteros (los obispos habían de salir luego de este último grupo).

En la *Didaché,* se puede notar un ministerio doble. Incluye: (1) los ministros itinerantes y carismáticos (apóstoles, profetas, maestros), y (2) los obispos residentes, elegidos por la congregación.

Finalizando el siglo primero, casi todas las congregaciones tenían un anciano que presidía la congregación y un grupo de diáconos que servía en asuntos prácticos. A la mitad del siglo II, el patrón se había desarollado más a un ministerio triple que contaba con obispos, presbíteros y diáconos. Es decir que, con mucha probabilidad, la iglesia había desarrollado una forma de gobierno que incluía un concilio de directores (presbíteros y diáconos), presidido por un obispo.

A fines del siglo III, los obispos habían sobresalido como líderes. La comunidad cristiana los asociaba como la figura de Cristo en la comunidad, responsable de todo lo que sucedía en la iglesia. En el siglo IV la iglesia cambió enormemente, porque se casó con el Imperio Romano bajo el reinado de Constantino. Desde allí comenzó la larga historia de la relación estrecha entre la Iglesia Católica Romana y el estado.

El desarrollo del ministerio y de la organización de la iglesia tiene varias implicaciones para el crecimiento de la educación cristiana. El obispo fue la persona clave en la instrucción, hasta que la iglesia hubiera crecido tanto que él necesitaba dedicar todo su tiempo a la administración. Los demás oficiales de la iglesia podían enseñar solamente por mandato del obispo. Los diáconos tenían más poder que los presbíteros hasta el siglo IV y servían a los obispos como auxiliares. Posiblemente, los diáconos enseñaban de acuerdo a su capacidad de auxiliar del obispo. Los presbíteros casi no enseñaban hasta los siglos IV o V.

Habían otros ministros auxiliares o sub-ministros como

las viudas, los lectores, los intérpretes y los sub-diáconos. Este último grupo tenía a su cargo a los catecúmenos (personas que estaban instruyéndose para bautizarse).

Aparentemente, pues, habían en la iglesia de los primeros siglos solamente dos personas o grupos de personas capaces o autorizados para llevar a cabo la educación formal de los hermanos: obispos y sub-diáconos. Cuando la función de la iglesia empezó a cambiarse en el siglo IV por su matrimonio con el estado romano, los obispos no podían soportar todas las responsabilidades de enseñar y administrar. Para aliviar la situación, los presbíteros fueron comisionados como pastores locales (con responsabilidades educacionales), mientras los obispos retenían el control administrativo.

Sucesión apostólica. El fenómeno conocido como sucesión apostólica tiene que ver con la autoridad del clero para enseñar. Al finalizar el siglo II, la iglesia contaba con una historia a la cual podía recurrir para basar la autoridad de su enseñanza. Tal autoridad era buscada tanto por la iglesia ortodoxa como por los grupos heréticos y cismáticos. Es posible que la idea de la sucesión apostólica comenzara cuando un grupo o grupos heréticos (posiblemente los Gnósticos), reclamaban haber recibido la autoridad para enseñar, de los mismos apóstoles. Si la iglesia ortodoxa creía que tales grupos estaban equivocados, su único recurso fue argumentar que ella, la iglesia, había recibido *su* autoridad para enseñar, de los apóstoles. Para sostener sus argumentos, la iglesia trazaba sus enseñanzas de un clérigo a otro, de generación en generación, hasta llegar a uno de los apóstoles de Jesús. Para asegurar el asunto, los historiadores de la iglesia (Eusebio, por ejemplo) incluyeron en sus relatos históricos una línea de sucesión, por nombres individuales, desde los apóstoles hasta los líderes eclesiásticos en cada ciudad del Imperio donde existía una iglesia cristiana. El argumento de la iglesia reclamando su apostolicidad tenía el propósito de asegurar a los herejes y cismáticos que en la iglesia nada se hacía *ad hoc,* es decir, por su propia cuenta, sin autoridad.

Como los guardianes de la enseñanza, los obispos sabían determinar lo que era verdad y lo que no era verdad. Por la sucesión apostólica, la iglesia, a través de sus obispos, proveyó legitimidad a su enseñanza. Gradualmente tal autoridad era ratificada por el rito de ordenación (autoridad pasada por los obispos a un nuevo obispo para que él tuviera autoridad legítima como sacerdote, maestro y guardián de la fe).

La importancia de todo esto para la educación cristiana no se nos debe escapar. A través de este proceso, el clero fue el recipiente de la sucesión o autoridad apostólica. Por lo tanto, cada clérigo fue el poseedor del don de la verdad, lo cual le confirió el derecho de *enseñar*.

II. INSTITUCIONES EDUCACIONALES

En los quince siglos antes de la Reforma Protestante, la educación cristiana pasó por muchas etapas. Hemos visto algunas de las influencias de los primeros cuatro siglos en la formación de un sistema de educación. Ahora, volveremos en nuestro estudio a los primeros años de la vida de la iglesia, para ver las varias etapas de desarrollo a través de las cuales pasó la iglesia.

Escuelas de catecúmenos

En el mundo grecorromano en el cual se hallaba la iglesia cristiana, toda la educación que no fue cristiana fue educación pagana. Todos los campos de enseñanza, todas las ceremonias educacionales, todo lo asociado con la instrucción de los niños romanos, estaba saturado con la mitología griega y romana. Así que, los niños cristianos corrían el riesgo de aprender los dos sistemas de educación —el cristiano y el mitológico. Esto creó un dilema para los cristianos. El único recurso que tenían para combatir el problema fue la instrucción hogareña y la instrucción de la iglesia. Con el sentir de que toda la educación debe ser relacionada con enseñanzas cristianas (el lector recordará que toda la educación judía era también educación religiosa), la iglesia comenzó a desarrollar un sistema educacional.

En principio, la educación en la iglesia gentil tomó un carácter semiformal, en clases conocidas como escuelas de catecúmenos. Un catecúmeno fue un nuevo convertido que necesitaba instrucción en la fe. ("Catecúmeno" se deriva de una palabra griega que significa instruir, hacer ruido en el oído, instrucción rudimentaria.) Las escuelas de catecúmenos fueron las clases semiformales dadas a tales personas, que incluían niños de cristianos, judíos adultos y convertidos gentiles. Los maestros fueron los obispos, diáconos o sub-diáconos.

En las escuelas de catecúmenos habían tres grados o etapas de estudio, dependiendo del progreso del alumno. En la primera etapa fueron los "oyentes": a los estudiantes se les permitía observar y escuchar las clases. En la segunda, los que "doblaban las rodillas" se quedaron para el tiempo de oraciones después de la salida de los oyentes. La tercera etapa consistía en los alumnos que se mantuvieron a través de un período largo de prueba y empezaron a prepararse para el bautismo. Este sistema siguió hasta alcanzar su cenit en el siglo IV, pero a partir del año 450 empezó a deteriorarse.

Escuelas catequísticas

En medio del desarrollo del intelectualismo, de la organización de la iglesia, etc., y muy relacionada con estos, se reconoció la necesidad de tener más que una instrucción rudimentaria. Para satisfacer esta necesidad, se desarrollaron escuelas para entrenar cristianos al mismo nivel intelectual que el de sus críticos. Estas escuelas llegaron a ser las instituciones de entrenamiento para los líderes de la iglesia.

La primera y más famosa escuela catequística fue la alejandrina, en la orilla norte de Africa. Esta escuela fue fundada en el año 179 por Panteno y ofreció una combinación de aprendizaje y pensamiento filosófico griegos con las Escrituras. Su propósito fue utilizar el pensamiento griego para interpretar las Escrituras y entrenar líderes.

También existían otras escuelas de este tipo en Antioquía, Cesarea, Edesa, Jerusalén, Cartagena y otros lugares. Por su función de entrenar líderes, las escuelas catequísticas fueron las predecesoras de las actuales instituciones de educación teológica que existen para entrenar al clero. Fue en estas escuelas que la fe y la doctrina cristiana se formularon en un sistema de pensamiento. Muchos de los grandes maestros de la iglesia, algunos de los cuales vamos a estudiar en el capítulo siguiente, fueron hombres influenciados por este sistema científico de instrucción.

Escuelas catedrales o episcopales

A medida que la iglesia crecía, especialmente en las áreas urbanas, y el clero se estaba dividiendo a niveles distintos de ministerio, algunas ciudades importantes se desenvolvían como las sedes o residencias de los obispos administrativos. El territorio administrado por un solo obispo se llegó a conocer como un obispado y la iglesia en esa ciudad se llegó a conocer como la catedral. Las parroquias que estuvieron fuera y alrededor de la ciudad se relacionaban con esta catedral. Por eso, las iglesias centrales se hallaron obligadas a suplir clérigos a las parroquias (presbíteros) y tales ministros necesitaban ser entrenados y ascendidos en las filas clericales. El resultado fue la evolución de escuelas en las catedrales para entrenar clérigos locales. Por su relación con la catedral, se conocían como escuelas catedrales o escuelas episcopales (del obispado).

En el siglo IV, estas escuelas habían obtenido una buena organización. Cuando la iglesia recibió reconocimiento oficial del estado y después cuando se unió con el estado y las escuelas paganas desaparecieron, las escuelas catedrales se convirtieron en las instituciones educacionales más importantes en el mundo occidental. En el siglo VI, aun los niños, destinados para el ministerio, recibieron allí su instrucción.

Desde el siglo VI, parece que el carácter de las escuelas catedrales empezó a cambiar. Según los historiadores, la escuela catedral fue la "madre" de las escuelas primarias, las cuales hicieron su primera aparición en el siglo VI. El currículo en estas sencillas escuelas primarias incluía lección, escritura, música, matemática, observancias religiosas y reglas de comportamiento. Durante los siglos VI al X, las escuelas catedrales existían al lado de las escuelas monásticas, que se discutirán luego, pero en los siglos XI y XII las escuelas catedrales surgieron como la institución educacional más importante.

Las mejores de ellas influyeron en el desarrollo de las universidades en la última parte de la Edad Media. Cuando las escuelas catedrales crecían mucho, los obispos señalaron cancilleres como supervisores de los maestros. Así, un poco alejados de la dirección directa de la iglesia, los maestros y los alumnos buscaban más autonomía formando gremios. Después de un tiempo, el término "gremio" fue cambiado a *universitas* y fue aplicado a las facultades y los cuerpos estudiantiles de esas escuelas.

Monasticismo

En los primeros siglos la iglesia crecía, se expandía, se hacía más y más poderosa, y también más y más política. Se convirtió en un estado jerárquico dentro del estado Romano y los oficiales eclesiásticos asumieron más autoridad política. Por estos acontecimientos, muchas personas se desilusionaron. Creían que los cristianos y la iglesia debían haberse mantenido separados del mundo como en los días de su infancia. Tales personas buscaban un medio de retorno a esa separación, para meditación y estudio personal. Estas personas se llamaban monjes.

El primer monasterio se organizó en Egipto en el año 330. La idea fue adoptada en otros lugares en pocos años y al llegar la Edad Media, el monaquismo había llegado a ser una institución propia dentro de la iglesia.

Los reglamentos que guiaban a los monjes, les imponían lectura y estudio como parte del régimen diario. Tales reglamentos facilitaron el camino para el establecimiento de un sistema de educación monástica. Como resultado, surgieron dos tipos de escuelas monásticas. En uno, los monjes enseñaban a los niños dedicados a entrar luego a la orden. El otro tipo aceptó a cualquier niño que quería una educación en medio de disciplina dura, ayuno y oración.

El punto importante para nuestro estudio es éste. En las escuelas monásticas, a los niños se les enseñó a leer. Para tener algo que leer, los novatos copiaban los manuscritos de la iglesia primitiva y también la literatura romana antigua. De ese modo, la literatura bíblica, histórica y secular fue preservada para la posteridad. Sería un error pensar que la enseñanza de la Biblia fue una prioridad en estas escuelas. Pero, por lo menos, conservaron las enseñanzas y sirvieron para proveer los líderes literarios, educacionales y teológicos del período.

Conclusión

Todos estos movimientos fueron relativamente débiles. La educación general, con sus influencias romanas y griegas, fue más fuerte en principio que la educación cristiana, e influyó mucho en la misma. Cuando el Imperio Romano empezaba a desintegrarse (siglo V) también lo hizo el aprendizaje y el conocimiento. Las primeras instituciones que estudiamos —escuelas de catecúmenos, escuelas catequísticas, escuelas catedrales —sufrieron mucho. La iglesia pudo mantener la educación viva, pero como el resto del mundo, la iglesia sufría estancamiento. Los historiadores están de acuerdo en que la iglesia fue el único factor estable que permaneció en el mundo romano cuando el Imperio se deshizo.

Durante la Edad Media, la edad de la ignorancia, habían escuelas, muchas de ellas sostenidas por la iglesia. Pero las masas y la plebe quedaban ignorantes y analfabetas. Había mucha ignorancia de la Biblia y aún el clero no entendió mucho de lo que hacía.

Algunos darían un epíteto triste a la educación cristiana de la segunda mitad del período que se ha discutido en este capítulo. Dirían que la iglesia propagaba educación religiosa, pero no propagaba educación cristiana. Según Eavey, había "bastante de iglesia, pero poco de Dios."

Preguntas para el repaso

Después de leer el texto, responda a las siguientes preguntas:

1. ¿Cuál fue el problema que se le presentó a la iglesia al entrar personas de trasfondo grecorromano?
2. Describa la relación o influencia del helenismo en el desarrollo de la educación cristiana.
3. Busque información sobre dos herejías de la iglesia pre-Nicena. Procure descubrir la enseñanza falsa y qué hizo la iglesia ortodoxa para refutarla.
4. ¿En qué consistían las apologías?
5. En su opinión, ¿las herejías o cismas representan un factor positivo o negativo en el desarrollo de la educación cristiana? Argumente su respuesta.
6. ¿Cuál fue el valor educacional de las apologías?
7. Mencione tres tipos de ministerio, según el Nuevo Testamento.
8. Mencione dos tipos de ministerio, según la *Didaché*.

9. Describa brevemente el desarrollo de un triple ministerio en la iglesia y cómo afectaba a la educación cristiana.

10. En su opinión, ¿cuáles podrían ser algunos problemas presentados a la iglesia por la educación griega y romana, saturada con mitología?

11. ¿Qué acontecimiento del siglo IV cambió la dirección futura de la iglesia en todos sus aspectos, incluyendo el aspecto educacional?

12. Mencione algunas implicaciones para la educación cristiana, derivadas del desarrollo del ministerio y de la organización de la iglesia.

13. ¿Qué relación hay entre la ordenación y la sucesión apostólica? ¿Qué significa esta relación para la educación cristiana?

14. ¿Cuál fue el dilema de la iglesia que dio paso al desarrollo de las escuelas de catecúmenos?

15. ¿Cuál institución del siglo II fue el antecedente de las instituciones teológicas de hoy?

16. ¿Qué significa "sistema científico de instrucción"?

17. Describa brevemente el desarrollo de la educación superior (universidades).

18. ¿Qué desarrollo en la vida de la iglesia dio paso al principio del monaquismo?

19. Mencione algunos beneficios de este período histórico. Se sugiere que el alumno lea *Historia del Cristianismo*, tomo I (Latourette), pp. 101-290; y/o *Historia del Cristianismo* (Deiros), pp. 4-94.

Temas de discusión

1. En cuanto a la enseñanza en la iglesia local contemporánea, ¿quién tiene la autoridad para enseñar? ¿De dónde viene tal autoridad? ¿Debe haber un control de lo que se enseña en la iglesia? Si responde que sí, ¿cómo se debe controlar?

2. ¿Hasta qué punto debe permitir la iglesia de hoy que la educación secular u otras cosas en el mundo secular influyan en su programa de educación cristiana? ¿Cuáles serían algunas influencias positivas de la educación secular para la educación en la iglesia? ¿Influencias

negativas? ¿Otros factores no-educacionales positivos? ¿Otros factores no-educacionales negativos?

3. ¿Cuál es la semejanza del sistema de las escuelas catedrales con los siguientes conceptos de hoy en día?

a. Un sistema de multiplicación eclesiástica por anexos o misiones apoyadas por una iglesia madre.

b. Educación teológica por extensión.

c. Seminarios teológicos

Capítulo 6

PERSONAS CLAVE HASTA LA REFORMA

Introducción

En los primeros siglos, así como a través de las edades, hubieron personas que sobresalieron en sus esfuerzos de propagar el evangelio y expandir la enseñanza e influencia de la iglesia. Al que estudia las bases históricas de la educación cristiana, le será muy útil pensar en los grandes personajes de la historia cuyas contribuciones al desarrollo de la educación cristiana han dejado una impresión de larga duración.

No sería posible, en un estudio de esta índole, mencionar a todos los hombres cuyas vidas afectaron la educación. En la primera parte del capítulo se considerarán brevemente algunas personas y sus contribuciones como representantes de los primeros cuatro siglos. Después se tomará en una forma más detallada a tres personajes muy importantes en el período siguiente; uno de ellos fue el padre sobresaliente de la iglesia, y los otros dos son representantes de los educadores de la Edad Media.

I. PADRES DE LA IGLESIA

Justino Mártir (100-165)

Justino había sido un maestro y filósofo griego antes de convertirse y siguió su profesión después de su conversión. Su influencia educacional se relaciona a su énfasis en la naturaleza filosófica del cristianismo. Enseñaba que el cristianismo era inherente en la filosofía griega y que a través de Cristo, él, como filósofo, había llegado a la filosofía perfecta.

Justino fue uno de los apologistas que se mencionaron en el capítulo anterior. Muchos eruditos lo estiman como el apologista principal de la iglesia primitiva. Sus apologías clarificaban asuntos de doctrina y ética y nos dan un ejemplo de cómo los cristianos primitivos, influenciados por el helenismo, interpretaban las Escrituras.

Ireneo (140-200)

Ireneo sirvió como obispo de Lyon, en Galia. Trazaba su sucesión apostólica a través de Policarpo hasta el apóstol Juan. Ireneo creía que la enseñanza era la herramienta para construir una iglesia fuerte. Quizá su contribución mayor a la educación de la iglesia fueron los cinco volúmenes que escribió para refutar al Gnosticismo.

Clemente de Alejandría (160-215)

Tito Flavio Clemente fue el sucesor de Panteno en la escuela catequística de Alejandría. Clemente también fue influenciado tremendamente por la filosofía griega a la que consideraba "una buena preparación para el avance del evangelio" (Latourrette). Creía que el cristiano debía aprovechar todas las oportunidades que se le presentaban para aprender, sean éstas de cualquier rama del conocimiento humano. De todos sus escritos, los que más se relacionan con la educación son *Paidagogos* (instructor), en el cual se habla de la conducta que debe manifestar un cristiano, y *Stromateis* (misceláneas), que es una instrucción avanzada.

Tertuliano (160-220)

La posición de Tertuliano en cuanto a la filosofía fue opuesta a la de los padres ya mencionados. Tertuliano se oponía ardientemente al uso de la filosofía en las discusiones teológicas. Gangel y Benson han identificado tres temas dominantes en sus escritos: la actitud del cristianismo ante el estado romano y la sociedad romana; una defensa de la teología ortodoxa contra las herejías; y el comportamiento moral de los cristianos. En sus escritos, Tertuliano es muy rígido e inflexible en su insistencia en la buena conducta moral y acerca de algunas prácticas dentro de la iglesia, tales como la disciplina, ayunos y el segundo matrimonio.

Quizá su contribución mayor a la educación es la cantidad de escritos que dejó a la iglesia para el uso de sus sucesores y para los teólogos de generaciones futuras.

Orígenes (185-254)

Orígenes fue el alumno de Clemente de Alejandría y su sucesor como director de la escuela de esa ciudad. Su trasfondo fue diferente al de los padres estudiados hasta este punto, porque él fue un cristiano de segunda generación. Su familia fue cristiana y su padre fue maestro de una escuela secular.

Aprendió de su padre el aprecio por la educación griega y la halló muy compatible con la enseñanza cristiana. Sus contribuciones a la educación cristiana son su erudición sobresaliente y sus escritos teológicos, los cuales dominaron la erudición de la iglesia durante los siglos III y IV.

Jerónimo (345-419)

Jerónimo fue un participante frecuente en debates, en los cuales enfatizaba los objetivos morales y ascéticos de la educación. Tal énfasis tenía el propósito de refutar la tendencia a interesarse en las necesidades humanas. Sus enseñanzas influyeron mucho en las escuelas monásticas.

Las dos contribuciones principales de Jerónimo a la educación cristiana fueron: 1) su traducción latina de las Escrituras (La Vulgata) y, 2) su énfasis en la igualdad del hombre ante los ojos de Dios. Esto último, preparó el camino para la adopción futura del principio de educación universal.

II. AGUSTIN DE HIPONA (354-430)

Vida

Aurelio Agustín, obispo de Hipona (Africa), ha sido llamado el más ilustre de todos los padres de la iglesia. Nació de un padre pagano y madre cristiana y recibió una educación excelente. Antes de convertirse al cristianismo, Agustín enseñó retórica en Cartago, Roma y Milán. Por diez años siguió las enseñanzas heréticas del Maniqueísmo, una religión sincretista, prominente como una competidora del cristianismo. Se convirtió durante un período de trauma y reflexión sobre su vida pasada. Pasó tres años en soledad y estudio (386-389) y dio el resto de su vida como un ministro en la región norte de Africa.

Contribuciones a la educación cristiana

Agustín fue un escritor prolífico y sus contribuciones principales a la educación son los conceptos que se encuentran en sus escritos.

Educación Cristiana fue un manual de instrucción para clérigos y laicos y se compuso de cuatro tomos. Los primeros tres tomos dan una base filosófica para la interpretación de las Escrituras y el cuarto trata sobre las técnicas de la enseñanza. La importancia pedagógica de este manual se puede ver en el uso que tuvo durante varios siglos como un tratado clásico de pedagogía. La clave de la importancia de estos tomos es enseñar que toda verdad es la verdad de Dios. No hay verdad aparte de eso. Esta es una idea que ha enriquecido en su totalidad el concepto de educación cristiana.

Otra obra, *La Instrucción de los No-Instruídos,* es un manual que trata la metodología del maestro cristiano en su tarea de instruir a los candidatos para el bautismo. Contiene ayuda para el maestro sobre los principios de la pedagogía.

Se puede ver la importancia educacional también en su *Interpretación Literal de Génesis.* En esta obra es muy claro que el concepto de la voluntad ocupa un lugar prominente en sus teorías educacionales.

Agustín, como varios de los educadores que hemos investigado, trataba de reconciliar la filosofía y el cristianismo. La síntesis de platonismo y cristianismo que él produjo le dio un concepto muy interesante de lo que es enseñar. Demostró un respeto profundo hacia el intelecto y también hacia la personalidad única del alumno. Consideró que la responsabilidad de un maestro es estimular y animar en lugar de ser una autoridad. Inherente a sus creencias estuvo el concepto del maestro cristiano como modelo. Como Jesús y Pablo, creía que el maestro debe poseer cualidades que sus alumnos observen y sigan.

La influencia de Agustín fue profunda y de larga duración. Su presencia en la historia sirvió como un puente entre dos períodos de la historia de la iglesia. "Agustín fue el

canal a través del cual la filosofía griega fluyó a la Edad Media"
(Gangel y Benson).

III. ALCUINO (735-804)

En el intervalo entre los años de Agustín y la última parte
de la Edad Media, la educación cristiana y la secular sufrieron
mucho. En este período de decadencia educacional, se hallan
pocos personajes que sobresalieron en el campo de la educación. Algunas personas, como Colombano de Irlanda y
Bonificio, el apóstol de los alemanes, contribuyeron significativamente a la extensión de la enseñanza cristiana. Pero, quizá
el personaje más significativo del período fue Alcuino, un
educador responsable del entrenamiento del clero y del
personal administrativo en el reino de Carlomagno. Para tal
entrenamiento, Alcuino desarrolló un currículo basado en las
siete artes liberales, derivadas de la educación romana (gramática, retórica, dialéctica, aritmética, geometría, astronomía y
música). Desde la época romana, estos estudios fueron
agrupados, los primeros tres siendo el trivio y los últimos
cuatro como el cuadrivio. Además, Alcuino sugirió a Carlomagno que todos los niños debían aprender escritura, aritmética, música, lectura y la gramática del latín.

La importancia que tiene Agustín para el estudio de las
bases históricas de la educación cristiana, es que las reformas
en la educación y la iglesia durante su administración y el reino
de Carlomagno dieron fuerza a la iglesia y a la cultura para
mantenerse durante los años oscuros que le siguieron.

IV. TOMAS DE AQUINO (1225-1274)

Para entender cómo Tomás de Aquino figura en el
esquema de la historia, hay que entender algo de su contexto
histórico en cuanto a la educación. El movimiento educacional
que le afectó y que fue afectado por él se llama escolasticismo.

Escolasticismo

Sencillamente, el propósito del escolasticismo fue presentar un lazo entre la fe y la razón. Los escolásticos asumieron la
tarea de promover una estructura filosófica, suficientemente
fuerte, para vencer cualquier duda que pudiera haber en

cuanto a la fe cristiana. Querían demostrar a un mundo en el que existían dudas, que no hay antagonismo entre la fe y la razón; que son compatibles.

Durante los siglos IX al XIII, las obras de Platón afectaron mucho este movimiento. Pero en el siglo XIII fueron redescubiertas las obras de Aristóteles y sus enseñanzas fueron aplicadas al sistema escolástico. Según Gangel y Benson, el propósito educacional del escolasticismo fue triple: (1) desarrollar la habilidad de organizar las creencias en un sistema lógico, con argumentos defensivos; (2) sistematizar el conocimiento, y (3) proveer un proceso de proposiciones y silogismos para ayudar al individuo a aprender el conocimiento sistematizado.

Tomás

Este sistema fue la moda educacional cuando Tomás entró en escena. La iglesia estaba preocupada por algunas llamadas contradicciones entre el dogma eclesiástico y los resultados del razonamiento según las enseñanzas aristotélicas. Tomás, el escolástico más sobresaliente, se dedicó a la tarea de reconciliar el pensamiento de Aristóteles con las enseñanzas de la iglesia. Quería armonizar el cristianismo con la ciencia y con la civilización. Es decir, Tomás intentó descubrir o crear una alianza entre la fe y la razón. Para poder hacerlo, tuvo que reconciliar el dogma de la iglesia (para él, éste fue la fe) con las enseñanzas de Aristóteles (como representante de la razón). El resultado de su labor fue *Summa Theologiae,* considerado hasta ahora como la exposición autorizada de la teología de la Iglesia Católica Romana. El escolasticismo, y Tomás con el mismo, dio ánimo al estudio de la teología y conservó el interés en los asuntos intelectuales.

Preguntas para el repaso

Después de leer el texto, responda a las siguientes preguntas:

1. Mencione seis padres de la iglesia que ejercieron influencia en el desarrollo de la educación cristiana (antes de Agustín).
2. ¿Cuáles son los tres temas dominantes en los escritos de Tertuliano?
3. ¿Qué piensa usted sobre la creencia de Justino de que el cristianismo es la filosofía perfecta?
4. Procure encontrar información específica acerca de las influencias helénicas en la educación.
5. ¿En qué sentido la filosofía griega fue "una buena preparación para el avance del evangelio"?
6. Si usted hubiera sido un cristiano alrededor del año 200 d. de J.C., ¿seguiría las enseñanzas del hermano Clemente de Alejandría o las de Tertuliano? ¿Por qué? Si necesita más información para contestar, consulte Latourette, *Historia del Cristianismo,* tomo I, u otro libro sobre la historia de la iglesia.
7. ¿Cuál es el valor (o valores) de tener tantos escritos producidos hace tanto tiempo?
8. Defina *paidagogos* y *stromateis.*
9. ¿Qué relación hay entre las enseñanzas de Jerónimo y el concepto de educación universal?
10. Describa la filosofía pedagógica de Agustín.
11. ¿Quién fue Carlomagno y qué tenía que ver con la educación cristiana?
12. Describa la contribución de Alcuino a la educación cristiana.
13. ¿Cuál evento del siglo XIII afectó mucho el movimiento conocido como escolasticismo?
14. Describa, en sus propias palabras, los tres propósitos educacionales del escolasticismo.
15. ¿Por qué se originó el escolasticismo?

Temas de discusión

1. Después de una buena clarificación del escolasticismo, discutir en cuanto a la necesidad de una armonía entre la fe y la razón.

2. ¿Hay principios educacionales, positivos tanto como negativos, que se pueden extraer de este resumen de las vidas de algunos personajes de la historia? ¿Cuáles son? ¿Cómo nos afectan personalmente? ¿Cómo afectan a la educación cristiana de su iglesia?

3. ¿Cuáles son algunas influencias culturales que afectan a las personas que hoy en día sirven como maestros "eruditos", autores y maestros? ¿Cuáles son las influencias culturales que afectan la enseñanza de la escuela dominical domingo tras domingo? Si se sugieren influencias negativas, ¿qué se puede hacer para corregirlas?

Capítulo 7

MOVIMIENTOS Y PERSONAS CLAVE DURANTE EL PERIODO DEL RENACIMIENTO Y LA REFORMA

I. EL AMBIENTE

Características del Renacimiento

Durante los siglos XIV al XVI, Europa estaba experimentando muchos cambios revolucionarios. Entre ellos, habían cambios económicos, políticos, intelectuales y religiosos. Los cambios económicos se debían a los principios de una revolución industrial que sacudía a Europa. La nacionalización de Europa fue el factor causante de los cambios políticos. Habían cambios religiosos dentro y fuera de la iglesia Romana, los que tomaron la forma de la Reforma Protestante y la Contrarreforma dentro de la Iglesia Católica. Los cambios intelectuales se conocen en la historia como el Renacimiento y es esa parte de los cambios de ese período que demanda ahora nuestra atención.

Esa época del Renacimiento, un período de renovación cultural y humanismo, fue caracterizada por un espíritu secular predominante. El espíritu secular no necesariamente indicaba un movimiento hacia el ateísmo. Más bien fue el olvido de Dios o, cuando menos, un cambio de prioridades. La atención del hombre fue puesta más en sí mismo y en su prosperidad que en Dios. Hubo un nuevo énfasis en disfrutar de la vida, en la satisfacción personal, en las adquisiciones hechas posibles por una nueva riqueza. En las palabras de

67

Gangel y Benson, fue una época en la cual "el hombre y su mundo, mas no Dios y su cielo, se hicieron el enfoque del interés humano."

Otra característica del Renacimiento, muy relacionada con el espíritu secular, fue el individualismo. Con la desintegración del sistema feudal, se crearon nuevas carreras profesionales y muchas oportunidades, antes reservadas para la nobleza, se hicieron alcanzables para el hombre común. La aparición del capitalismo dio posibilidades a las clases bajas de cambiar su posición social. Todos estos cambios prepararon el camino para la aparición de lo que ha sido llamado "el hombre renacido" —un nuevo tipo de persona aficionada al atletismo, a la música, a la literatura, y a la ciencia por igual —un hombre "total." Era a este tipo de persona al que tenía que tocar la educación cristiana.

La respuesta de la educación cristiana

El escolasticismo (Capítulo 6) había causado nuevos pensamientos acerca de Dios y, hasta cierto punto, había aclarado que el propósito principal del hombre era glorificar a Dios. Pero los líderes del Renacimiento, es decir, los intelectuales en la renovación cultural de Europa, vieron el propósito principal del hombre de otra manera. Para ellos, los propósitos del hombre fueron el glorificar la vida humana y el deleite del hombre en su mundo. Con una nueva clase media, una nueva prominencia de la mujer, un nuevo materialismo, la invención de la imprenta, y muchas otras cosas más, el hombre se puso más optimista y confió más que nunca en su propia habilidad. Todas las fases de la vida, el arte, la arquitectura, la literatura, la ciencia, la educación, fueron afectadas tremendamente por estos factores. Nuestro interés, por supuesto, es en la fase educacional.

La educación cristiana tuvo que reaccionar fuertemente para que la iglesia, por más débil que fuera, no perdiera su influencia en el mundo. El humanismo cristiano, que resultó en la combinación de fuerzas y factores del Renacimiento, tomó varias facetas. Debemos considerar algunas de ellas.

Gerardo Groote (1340-1384) es un nombre importante en nuestra consideración de la educación durante el Renacimiento. Groote, un abogado, teólogo y erudito clásico, fue el fundador del movimiento llamado *"Hermanos de la vida común"*, un grupo evangelístico y piadoso. Groote fue un místico, y un predicador de avivamiento. Influyó en muchas personas para que salieran de la mundanalidad de los cambios predominantes de la era y vivieran una vida de santidad. Las personas que respondieron a la predicación de Groote fueron organizadas en comunidades de refugio del mundo. Las comunidades se llamaban "casas", y en ellas vivía toda clase de gente. Los miembros de una casa, de cualquier clase social o de cualquier profesión, trabajaron juntas en común, manteniéndose juntos, dando sus ingresos a los pobres, y enseñando a los niños. Según Eavey, "el propósito de su trabajo fue dar énfasis al vivir cristiano primitivo." Creían que la vida debía reflejar los principios enseñados en la Biblia en una forma cuidadosa. Aunque no salieron de la Iglesia Católica, enseñaron a sus seguidores a leer la Biblia por sí mismos y predicaron y enseñaron en el idioma vernáculo en lugar del latín tradicional.

Su valor educacional es múltiple. Corrigieron la Vulgata, la Biblia de la Iglesia Católica. Tradujeron la Biblia al holandés, su lengua común. Escribieron, tradujeron e hicieron circular porciones de la Biblia, libros de texto y literatura religiosa, hechos que hicieron posible que las masas tuvieran literatura cristiana. Groote veía en los niños el futuro de la iglesia y animó a sus seguidores a enseñar en las escuelas. Después de 1450 muchos *"Hermanos"* fueron los maestros en las escuelas públicas, combinando sus doctrinas y prácticas con la educación secular.

Los *"Hermanos de la vida común"* ejercieron más influencia, quizá, que cualquier otro movimiento durante el período del Renacimiento y la Reforma. Sus efectos se sintieron a través de la Reforma y hasta después, en otros movimientos que vamos a considerar. Hay otros nombres importantes asociados con los *"Hermanos"*, además de Gerardo Groote. Juan Cele, por ejemplo, introdujo la idea de enseñar la Biblia no solamente los días domingo, sino en los días entre semana. Todos los días enseñaba el Nuevo Testamento (en lugar del catecismo) con la esperanza de que sus alumnos aprendieran a ser imitadores de Cristo. Enseñó, además, que las oraciones debían hacerse tanto en el idioma común de uno como en el latín. Otro nombre importante es Tomás Kempis, el supuesto autor de *La imitación de Cristo,* un libro devocional de renombre que refleja el espíritu de los *"Hermanos de la vida común."*

Quizá el personaje más importante que salió de las filas de los *"Hermanos"* fue Erasmo, el "más famoso de todos los humanistas y uno de los hombres más influyentes de todos los tiempos" (Ely). Wich lo alaba, diciendo: "Pocos hombres han moldeado la educación europea en manera tan decisiva como Erasmo. Estimuló un mejor método de enseñanza y una actitud más tolerante y simpática hacia el alumno, e infiltró los estudios clásicos con un espíritu de exactitud, crítica histórica y perspectiva internacional. Todo esto permitía que la filosofía antigua dominara la humanidad hasta principios del siglo XIX."

Erasmo fue una voz muy influyente en el deseo de reconciliar la razón y la fe. Pero, a diferencia de otros educadores en la tradición de Tomás de Aquino, su predecesor, Erasmo criticó abiertamente a la iglesia romana. Nunca quiso separarse de la iglesia romana, pero sus críticas sobre su Biblia (La Vulgata) eran notables. Su permanencia en la iglesia a pesar de sus diferencias, es lo más distinto entre él y su contemporáneo y amigo, Martín Lutero. Sus críticas de la iglesia romana se extendían a las iglesias evangélicas, especialmente en cuanto a la falta de educación de muchos de los pastores evangélicos.

Educacional y filosóficamente, Erasmo creía que el hombre es básicamente bueno (una característica de todos los humanistas), y por lo tanto había que desarrollar el intelecto inherente. Mientras que muchos de los movimientos religiosos estaban enfatizando la depravación del hombre, Erasmo insistía en lo opuesto. La educación que sugería para el desarrollo del hombre incluía un estudio de las obras clásicas, los escritos de los padres de la iglesia y la Biblia. Su concepto de la metodología que debían emplear los maestros es una de las influencias mayores que dejó para el mundo educacional. Creía que la naturaleza del alumno es muy importante y que el desarrollo de la misma es la clave de la educación. Por lo tanto, la tarea del maestro no es demostrar su propia erudición, sino ayudar a sus alumnos. Además de eso, quizá su influencia principal ha sido su énfasis en un entrenamiento sistemático de los maestros.

Anunciadores de la Reforma

Antes de la llegada propia de la Reforma, que generalmente es asociada con las acciones de Martín Lutero, hubieron algunos hombres y grupos reformistas, quienes tuvieron influencia en la educación cristiana. Se mencionan, brevemente, algunos de ellos.

1. *Los Valdenses,* de Suiza e Italia, protestaban silenciosamente y enseñaban únicamente las Escrituras a través de los siglos. De este grupo procedieron los tres personajes que siguen.

2. *Juan Wiclif* (1320-1384), de Inglaterra, ha sido llamado la "Estrella matutina de la Reforma." Fue el líder de un grupo semi-militante, los *Lolardos,* y criticó muchas prácticas y doctrinas de la Iglesia Católica, tales como la transubstanciación, las oraciones por los muertos, la adoración de los santos y otras. Las mayores influencias educacionales del grupo fueron dos: (1) enseñaron la Biblia únicamente, despreciando las traducciones de la iglesia, y (2) produjeron una literatura nueva, que llamaron "tratados."

3. *Juan Hus* (1369-1415), de Bohemia, fue el fundador de los *Husitas,* un grupo que tradujo las Escrituras al lenguaje vernáculo y que desarrolló un sistema de escuelas, incluida una universidad, para promover la practicabilidad del cristianismo. La vida de Hus y su condenación y muerte en manos de la iglesia, influyó mucho en Lutero.

4. Un mártir italiano, *Girolamo Savonarola* (1452-1498), es mencionado por Gangel y Benson como una figura influyente en las vísperas de la Reforma, por su predicación desde el púlpito católico, en la cual clamaba por un retorno a la vida cristiana basada en la Biblia.

Todas las personas y todos los movimientos mencionados hasta ahora, aparecieron bajo la influencia del Renacimiento. El Renacimiento fue básicamente un movimiento cultural, mientras que la Reforma que lo seguía fue un movimiento teológico. En verdad, es difícil separar las dos cosas. Para el historiador con perspectiva religiosa y educativa, el humanismo y el teísmo son inseparables.

II. LA REFORMA

En esta sección nos interesan algunos personajes cuyas influencias educacionales se hallan en sus actividades de reforma. Dado que este estudio no es uno de la historia propia del cristianismo, no se pretende analizar la Reforma, sino sacar de aquella época en la historia de la iglesia algunos datos que puedan ayudar al alumno de la educación cristiana. Para un mayor entendimiento del trasfondo de este período, se sugiere que el lector consulte las obras de Deiros, Latourette o Walker. Aquí se mencionan algunas personas clave en la Reforma Protestante, con algunas implicaciones educacionales de sus ministerios respectivos.

Martín Lutero (1483-1546)

El concepto que se tiene de Lutero como reformista obscurece su valor en el mundo de la educación. En el principio de su desilusionamiento con la iglesia, Lutero, como su contemporáneo Erasmo, no quería separarse de la Iglesia Romana. Promovía una reforma interna. La amistad de los dos se rompió cuando el interés evangelístico del teólogo Lutero le llevó más allá del humanismo del educador Erasmo.

Lutero creía que la educación estatal, subordinada a la Iglesia Católica, estaba corrompiendo a la juventud con los vestigios del escolasticismo, con su énfasis en el estudio mezclado de las obras clásicas con la Biblia, en lugar de estudiar solamente la Biblia.

La educación que Lutero promovía se centraba en el hogar, como enseña claramente el Antiguo Testamento. Sin embargo, le parecía a él que el hogar no tenía los medios para cumplir su tarea satisfactoriamente. Por lo tanto, el estado debía tomar la responsabilidad de la enseñanza de los niños y los padres debían proveer un ambiente hogareño que condujera al niño al aprendizaje.

Además, por la desilusión con la Iglesia Católica, Lutero consideraba que el clérigo no tenía la capacidad para administrar una buena instrucción a los niños. En tal caso, las autoridades estatales debían encargarse de la educación.

Como algunos de sus predecesores en los tiempos antiguos, Lutero creía que la educación debía ser obligatoria para todos, para que todos pudieran aprender a leer la Biblia. El currículo que proponía incluía estudios bíblicos, idiomas, gramática, retórica, lógica, literatura, poesía, historia, música, matemática, gimnasia, y estudios de la naturaleza. De todas estas temáticas, es inherente que su énfasis en la música fue una característica única de su filosofía de la educación. Según Gangel y Benson, la música tomaba el segundo lugar de importancia, detrás de la teología, en la filosofía educacional de Lutero.

Quizá la contribución mayor de Lutero a la posteridad educacional fue su énfasis en la importancia del arte de enseñar y la importancia del maestro. Para él, la predicación y la enseñanza fueron casi de igual importancia. Un aspecto importante para él, en el proceso de enseñanza-aprendizaje, fue la disciplina y la obediencia en conjunto, con amor y templanza. Su forma de disciplina con amor fue, en parte, una reacción contra las prácticas drásticas en los monasterios en cuanto a disciplina y corrección.

Felipe Melanchthon (1497-1560)

Melanchthon fue un amigo y colega de Lutero. Presidió la Universidad de Wittenberg y, en esa capacidad, exigió que todos los profesores enseñaran de acuerdo al Credo Apostólico, el Credo de Nicea, el Credo de Atanasio y la Confesión de Augsburgo. La adhesión a esos credos le dio a la educación superior una cualidad de ofrecer la enseñanza de la verdad, basada en principios bíblicos, sin vacilación hacia tendencias modernas. Más que todo, los esfuerzos de Melanchthon proveyeron una educación superior protestante, quizá no en su totalidad pero cuando menos en su sentido principal.

Ulrico Zwinglio (1484-1531)

Zwinglio, un reformador suizo, fue un educador en la tradición humanística de Erasmo. Aportó mucho a la Reforma, escribiendo la *Introducción Cristiana Breve,* que describió la posición de los pastores de la Reforma. Su historia personal es muy interesante, pero tenemos que dejar su relato a los historiadores de la propia iglesia.

El valor educacional mayor del ministerio de Zwinglio se halla en su desarrollo de un Instituto teológico, el *Prophezei.*

En ese Instituto, los eruditos y los alumnos compartían como iguales, con respeto mutuo, buscando juntos la verdad.

Juan Calvino (1509-1564)

Calvino, otro reformador de renombre y conocido por sus doctrinas de la predestinación, la depravación del hombre y la soberanía de Dios, también dejó contribuciones educacionales. Entre otras están las siguientes: (1) Llamó a la iglesia a retornar a la tarea de enseñar a los niños. (2) Fundó la Academia de Ginebra, que incluyó educación para niños y adultos. (3) Expuso una filosofía que indicaba que conocimiento y aprendizaje no son para satisfacer la curiosidad de uno, sino para poder enseñar a otros. Todos sus alumnos en la universidad tenían que firmar una confesión de fe, porque Calvino no creía conveniente enseñar a los no-creyentes. (4) Fue el autor de muchos tratados, catecismos y comentarios bíblicos.

Juan Knox (1505-1572)

Knox, uno de los fundadores del Presbiterianismo, contribuyó cuando menos con las siguientes cosas al mundo educacional: (1) Promovió la idea de que los objetivos de la educación son aprender a leer (para que se pueda leer la Biblia) y entrenar a la juventud en las virtudes, preparándola para ser de utilidad en el mundo y glorificar a Cristo. (2) Estableció un sistema nacional de educación en Escocia, en el cual la Biblia fue el tema principal en tres niveles de educación —primaria, secundaria y superior.

Ignacio de Loyola (1491-1556)

Ignacio fue el fundador de los Jesuitas, la Sociedad de Jesús, un movimiento que formaba parte de la Contrarreforma Católica. Ignacio compartía algunas de las mismas inquietudes que los reformadores protestantes, pero él quería que los cambios se hicieran dentro de la Iglesia Católica.

Creía que la Iglesia Católica podía cumplir mejor su tarea a través de la educación teológica. El tema central en las escuelas jesuíticas hasta hoy en día, es la autodisciplina.

Los Anabautistas

Este grupo de hermanos perseguidos no es reconocido generalmente como un grupo educador. Pero muchas denominaciones y grupos evangélicos hallan sus raíces en las enseñanzas de estos hermanos. El lector que no ha estudiado el desarrollo de este grupo, se ayudaría mucho leyendo la herencia que dejaron a generaciones posteriores. Gangel y Benson los alaban como educadores, y este autor concurre con sus sentimientos: "Es nuestra opinión que, aunque los líderes principales de la Reforma nos dieron los diseños educacionales, son los Anabautistas los que nos enseñaron a vivir como Cristo." ¿Cuál concepto es más válido, el diseño o la práctica?

Eavey ha resumido la influencia de la Reforma en la educación cristiana con cinco puntos:

1. La traducción de la Biblia al lenguaje vernáculo, con distribución amplia.

2. Un avivamiento de la predicación bíblica y doctrinal.

3. La enseñanza de la Biblia entre las familias.

4. El establecimiento de escuelas cristianas para la juventud.

5. "La adopción de la idea de que toda educación es o debe ser una unidad" (una mezcla de contenido religioso y humanista).

III. EDUCADORES DEL SIGLO XVII

Durante un siglo después de los movimientos principales de la Reforma protestante, hubieron varios educadores influyentes. Entre ellos había creyentes y no creyentes. Algunos nombres asociados con la educación de esta época son Descartes, Locke y Spinoza. Pero el que ha dejado las ideas y conceptos principales que han influido en la educación cristiana fue Juan Comenio (1592-1670).

Comenio ha sido llamado "el primer educador moderno," y también "el profeta de la educación moderna." Es la opinión de muchos estudiantes de la educación que Comenio fue el primer educador que tomó en serio el oficio de enseñar como una ciencia. Por muchos años su trabajo casi fue olvidado, pero en años recientes sus esfuerzos han sido alabados por educadores cristianos tanto como seculares.

Comenio proponía un proceso de integración en la educación, es decir, la enseñanza de todas las materias como partes de la verdad total de Dios. En términos filosóficos, su posición fue esencialista —quería enseñar lo básico, siempre con ideales y principios cristianos como el énfasis mayor. Es la misma posición de la mayoría de las actuales escuelas sostenidas por iglesias y/o grupos para-eclesiásticos.

A través de su educación esencialista, Comenio quería reformar la sociedad. Su perspectiva educacional se llamaba pansofismol (pansofia: enseñar todo a todos). Según él, la educación debe ser dividida en cuatro niveles: "La escuela de las rodillas de la madre;" "la escuela vernácula;" "la escuela de latín" (para alumnos avanzados); y "la escuela de la universidad y viajes." Así, su concepto de la educación nos lleva a seis axiomas en cuanto a las escuelas. Las escuelas deben:

1. Ser para todos;
2. enseñar todo lo que hace a uno sabio, piadoso y virtuoso;
3. darle a uno una educación completa antes de que llegue a la madurez;
4. conducirse agradablemente, sin castigo;
5. proveer una educación completa, sin superficialidad;
6. ser fáciles.

Comenio dividió su filosofía de la educación en tres ideas principales: 1) La raza humana entera debe ser educada; 2) todos deben ser educados en todas las cosas (armonía, prudencia, provisiones para el futuro, etc.), y 3) todos deben ser educados en todas las maneras. Según estas ideas, Comenio nos da la sigiente conclusión: Si todos los hombres aprendieran todas las cosas, todos los hombres serían sabios y el mundo se llenaría de orden, luz y paz.

IV. PIETISMO

El Pietismo fue un movimiento que hizo una combinación de las tendencias místicas y prácticas en las iglesias luteranas y reformadas. Fue una reacción contra el formalismo y la doctrina pura enfatizada por la iglesia ortodoxa, a favor de guardar el espíritu del evangelio mas no la letra. Se puede decir que fue un movimiento fundamental, combinando las creencias de los *Husitas,* los *Valdenses,*los *Hermanos de la vida común,* y otros grupos más.

La creencia central de los seguidores de este movimiento fue la necesidad de un retorno a la Biblia. Además de proponer estudios bíblicos, un auto-examen continuo y dependencia de Dios, también observaron prácticas diarias muy conservadoras como la prohibición del baile, del cine, de los chistes, de la literatura secular, de adornos, etc. Sus creencias combinaron el énfasis de Lutero en cuanto al estudio de las Escrituras, la oración y la fe con el énfasis de Calvino en cuanto al comportamiento puritano. Fueron influenciados también por las obras de Juan Bunyan y Ricardo Baxter. Cuando la Reforma propia empezó con las reacciones de Lutero, este movimiento ya contaba con muchas iglesias y escuelas (más de 300 iglesias y 300.000 escuelas, con una membresía de 100.000 solamente en Bohemia).

Es importante para nosotros el estudio de este movimiento, porque sus seguidores sostenían que había un lazo directo entre la teología y la educación. Según ellos, el propósito de la educación es honrar a Dios. Sus niños fueron enseñados observando el ejemplo de sus padres viviendo según principios cristianos en sus experiencias cotidianas. Hay algunos de sus miembros sobresalientes que necesitamos escudriñar en forma específica. Son los siguientes:

Felipe Jacobo Spener (1635-1705)

Spener se conoce por su desarrollo de grupos de renovación espiritual que él llamaba *Collegia Pietates.* El propósito de estos grupos, a los cuales podemos entender como los antecedentes de la "iglesia casera," fue la promoción del compañerismo cristiano y los estudios bíblicos. De su trabajo en sus *Collegia Pietates* se pueden discernir las siguientes contribuciones educacionales:

1. Publicó *Deseos Piadosos* en 1675, pidiendo una reforma de la recientemente establecida Iglesia Luterana. En su libro, pidió específicamente cosas como: (1) Estudios bíblicos más serios; (2) la participación de los laicos en el gobierno y la administración de la iglesia; (3) un conocimiento cristiano que sea práctico, no solamente doctrinal; (4) simpatía en lugar de disciplina para con los hermanos que cayeran en

pecado; (5) una reorganización de la educación teológica, y (6) predicación práctica en lugar de retórica.

2. Dio énfasis a la educación de la juventud, reavivando la instrucción catequística.

3. Criticó la educación secular por su falta de enseñanza acerca de la fe cristiana y el vivir piadoso.

Augusto Hermann Franche (1663-1727)

Desde la perspectiva educacional, Franche fue el pietista más influyente. Según su punto de vista, el mayor problema en la educación era la falta de entrenamiento cristiano en el hogar así como en la escuela. No estaba de acuerdo con los métodos educacionales de su día, los cuales consistían mayormente en la memorización y la recitación. Abogaba, más bien, por un entendimiento inteligente en lugar de la memorización y un conocimiento práctico en lugar del verbalismo. Se pueden mencionar varias de sus contribuciones:

1. Insistía en que sus ideas educacionales le llegaron de Dios, no de las ideas de otros hombres.

2. Promovía la santidad en lugar del conocimiento como el propósito principal de la educación.

3. Enseñaba que el vivir cristiano práctico tiene prioridad sobre el aprendizaje.

4. Decía que el estudiar es necesario, pero que es a través de la inspiración que se descubre la verdad.

5. Enfatizaba la utilidad y la practicabilidad de la educación. Insistía en que todo lo que uno haga debe contribuir al honor de Dios y al bien de la humanidad.

6. Creía que el individualismo era importante en la educación, es decir, el maestro debe conocer bien a cada alumno como un individuo y enseñarle a pensar por sí mismo.

Nicolás Ludwig von Zinzendorf (1700-1760)

Zinzendorf fue un conde evangélico de Alemania. Permitía que grupos evangélicos, insatisfechos con sus iglesias, vivieran en su hacienda. Con este principio, Zinzendorf empezó a formar colonias religiosas a través de Europa, donde los grupos residentes estudiaban la Biblia, oraban y disfrutaban del compañerismo cristiano. En la estimación de algunos estudiosos de la historia, estas colonias fueron los antecedentes de la escuela dominical.

Estas colonias enfatizaban la necesidad de la obra misionera. Creaban un lazo estrecho entre la educación y la obra misionera. Fueron responsables del envío de misioneros en Europa y hasta las Indias Occidentales.

Preguntas para el repaso

Después de leer el texto, responda a las siguientes preguntas:

1. Describa brevemente el ambiente de Europa durante los siglos XIV al XVI.
2. ¿Cuáles son los factores que influyeron en el individualismo del período del Renacimiento?
3. ¿En qué sentido se usa la palabra "casa" en cuanto a los *Hermanos de la vida común*?
4. Haga una lista de las contribuciones de los *Hermanos de la vida común*.
5. ¿Qué impresión tiene del movimiento de los *Hermanos de la vida común*?
6. Describa al "hombre renacido."
7. ¿Por qué es importante para el estudiante de la educación cristiana entender algo del ambiente del "hombre renacido"?
8. Según Erasmo, ¿cuál es la tarea del maestro?
9. Evalúe las contribuciones educacionales de Erasmo.
10. ¿De qué se trataba el término "humanismo"?
11. ¿Qué importancia indirecta tiene el grupo de los *Valdenses* para la historia de la educación cristiana?
12. Mencione dos influencias educacionales de Juan Wiclif.
13. ¿Qué fue lo que rompió la amistad entre Lutero y Erasmo?
14. Resuma algunas contribuciones de la filosofía educacional de Lutero que se podrían aplicar a su propio ministerio de enseñanza.
15. ¿Cuál fue la importancia de *Instrucción Cristiana Breve*, por Zwinglio?
16. Identifique *Proplezei, Pansofismo* y *Collegia Pietates*.
17. Mencione tres influencias educacionales de Juan Calvino.

18. ¿Qué se entiende por "integración en la educación," según Comenio?
19. ¿Qué relación existe entre Comenio y los educadores de hoy en día en relación con las escuelas sostenidas por iglesias o grupos para-eclesiásticos?
20. ¿Cuál sería una síntesis de la educación propuesta por Comenio?
21. Mencione los seis axiomas de Spener al mundo educacional eclesiástico.
22. Procure buscar información sobre las cosas o personas siguientes: Credo de Nicea (Melanchthon); Credo de Atanasio (Melanchthon); Confesión de Augsburgo (Melanchthon); Juan Bunyan (Pietismo); Ricardo Baxter (Pietismo).
23. ¿En qué sentido se podría considerar a Zinzendorf como un fundador del principio de la escuela dominical?
24. Lea las págs. 127-129 en Deiros, *Historia del Cristianismo,* y evalúe las contribuciones de los Anabautistas, especialmente en cuanto a la educación cristiana.

Temas de discusión

1. ¿Cuáles son los conflictos que pueden haber entre la filosofía educacional de Franche y los sistemas, pedagogías y metodologías de la educación moderna? ¿Hay conflictos entre sus teorías y la educación cristiana en general? ¿En su iglesia?
2. ¿Qué importancia se debe dar en la educación cristiana al individualismo?
3. Ciertos pietistas pusieron mucho énfasis en cuanto a la relación entre la educación y la obra misionera. El movimiento evangélico protestante, ¿ha mantenido un énfasis saludable en esta área? ¿Lo ha mantenido su iglesia local? ¿Cómo? ¿Cuáles son algunas cosas específicas que puede hacer su iglesia para mantener un mejor balance en este sentido?

Capítulo 8

LA EDUCACION CRISTIANA EN AMERICA

Introducción

Cuando los europeos empezaron a colonizar el Nuevo Mundo, trajeron sus ideas e ideales educacionales a América. En América del Norte, los protestantes y evangélicos predominaron en la escena religiosa y educacional, mientras que en América del Sur, la conquista española trajo consigo la predominancia de la Iglesia Católica. Por esta influencia católica, la educación cristiana en la forma que se conoce hoy en día en las iglesias evangélicas de Latinoamérica, no vino directamente de Europa después de la Reforma, sino por medio de un desvío que la llevó primero a América del Norte. No es decir que no hubiera influencias europeas en Latinoamérica. Al contrario, muchos de los primeros misioneros evangélicos que llegaron al continente sureño fueron europeos. Pero parece que las influencias educacionales se deben más a lo que sucedió en Norteamérica. Por lo tanto, es necesario entender algo de la historia de la educación en los Estados Unidos de América para luego seguir la línea de trasmisión hasta latinoamérica.

I. LA LLEGADA DE LA EDUCACION CRISTIANA A AMERICA DEL NORTE

Antes de empezar una discusión de la historia de la educación cristiana en las colonias norteamericanas, hay algunas cosas básicas que hay que entender. Primera, como los hebreos de hace tantos siglos, los colonizadores no presumían de una distinción entre la educación religiosa y la secular. Casi todos los colonizadores fueron protestantes, y por sus creencias religiosas, la razón principal para enseñar a sus niños fue que aprendieran a leer para disponerse a leer la Biblia. Segunda, los colonizadores, en su mayoría, salieron de Europa en búsqueda de libertad religiosa. Esto creó un ambiente religioso en el cual la educación cristiana había de tener la oportunidad para florecer. Tercera, al emigrar de Europa al Nuevo Mundo, los grupos protestantes llevaron consigo hasta sus congregaciones completas, lo cual preveía una base para el desarrollo de la educación. Cuarta, en principio, la enseñanza tomó la forma de instruir en forma congregacional desde el púlpito. Pero eso empezó a cambiarse y tales cambios son precisamente el tema que nos interesa en esta sección de nuestro estudio.

El desarrollo de la educación cristiana era regional, realizándose más o menos en tres áreas regionales —Nueva Inglaterra, las colonias centrales y las colonias sureñas. No es parte de nuestro propósito elaborar una historia detallada del desarrollo de la educación cristiana en los Estados Unidos. De tal modo, se presenta dicha historia en forma bosquejada, considerando las tres regiones.

Educación cristiana en Nueva Inglaterra

Básicamente, la educación en esta región norteña seguía un puritanismo Calvinista, tal como era seguido por todas las fases de la vida. El entendimiento de estos colonizadores era que toda la vida, cada cosa que se hiciera, estuviera bajo la dirección de Dios. Hay tres puntos principales que se deben reconocer en cuanto a su educación.

1. *La importancia del hogar.* Cada familia practicaba la adoración familiar. Los padres de familia fueron obligados por la ley a instruir a sus niños en los preceptos de Dios. Si una pareja de padres no cumplía con enseñar debidamente a sus hijos, la comunidad se reservaba el derecho de quitárselos para buscar otros medios para asegurar su instrucción correcta y adecuada. Por lo tanto, los padres generalmente separaban una hora semanal para enseñar formalmente a sus hijos. Además, les enseñaban con su ejemplo, pasando tiempo junto con ellos.

2. En esta región norteña también se desarrolló el sistema de aprendiz-maestro para la instrucción en un oficio.

3. *El establecimiento de escuelas.* Por ideal que fuera, el sistema de educar a los niños en el hogar no era suficiente. De tal modo que empezó a desarrollarse un sistema de escuelas, incluyendo los siguientes pasos:

a. Escuelas de dama. Una señorita en la comunidad se ofrecía para enseñar a los niños de todo el pueblo los rudimentos de la educación por un sueldo mínimo. En el principio esto fue un arreglo informal, pero después de 1647 se hizo más formal. En ese año hubo una legislación para que cada pueblo, que contara con más de cincuenta familias, tenía que emplear una dama para la instrucción de sus niños. El propósito declarado de tal instrucción fue "que Satanás no quite al hombre de un conocimiento de las Escrituras." En tal sistema, los textos y la enseñanza tenían una orientación espiritual.

b. Escuelas gramáticas. Las predecesoras de la secundaria, estas escuelas tenían el propósito principal de preparar jóvenes para el ministerio.

c. Educación superior. Cuando la educación católica en América del Sur ya contaba con la Universidad de San Marcos, en Lima, Perú, y cuando dicha universidad ya había existido por 85 años, los protestantes de América del Norte fundaron su primera universidad. En el año 1636 se estableció la Universidad de Harvard, en Cambridge, Massachusetts, con el propósito específico de preparar jóvenes para el ministerio. Entonces un joven, después de recibir entrenamiento en su hogar, por medio de una dama de la comunidad y de una escuela gramática, tenía la oportunidad de recibir una preparación comprensiva para el ministerio del evangelio.

Educación cristiana en las colonias centrales

En las colonias que quedaron un poco más al sur de Nueva Inglaterra, la educación cristiana tenía otro aspecto. En la primera región había un espíritu ecuménico, porque los colonizadores compartían un trasfondo calvinista. Pero en la segunda región, existían diversos grupos, evangélicos en su mayoría, pero de lugares y trasfondos diferentes de Europa. Por supuesto, llevaron consigo sus doctrinas, teologías y prácticas distintas y por eso fue más difícil que tuvieran un sistema tan coordinado como el de Nueva Inglaterra.

Por lo tanto, una escuela común para todos no era una posibilidad mayor en esta región. Más bien, se fundaron escuelas parroquiales: cada grupo o denominación protestante proveía para los suyos y mantenía así su propio sistema educacional.

En esta región también se fundaron instituciones de educación superior. Los presbiterianos dieron a luz a la Universidad de Princeton, en el año 1746 y la iglesia Reformada empezó la Universidad de Rutgers veinte años después. La primera universidad en los Estados Unidos sin afiliación denominacional fue la Universidad de Pensylvania (1755).

Educación cristiana en el Sur

En el Sur, la vida tenía otros enfoques. Mientras los que llegaron al norte y al centro llevaron consigo sus preceptos religiosos que les dominaron en todo, incluyendo la educación, los que llegaron al sur no tenían preocupaciones espirituales. Por lo general, los colonizadores sureños no emigraron al Nuevo Mundo buscando libertad religiosa sino las riquezas ofrecidas por los recursos naturales de la región.

De tal modo, los niños de los ricos se educaban con la ayuda de tutores en el hogar, o en escuelas privadas que no recibían apoyo económico ni de una iglesia ni del gobierno. Su mentalidad fue que los pobres no necesitaban una educación más que la necesaria para cumplir con su oficio.

El primer sistema educacional en el Sur fue controlado por la Iglesia Anglicana (1634). A pesar de sus problemas filosóficos en cuanto a la educación, los sureños llegaron a fundar la segunda universidad en América del Norte. En el año 1693 la Universidad de William y Mary se empezó en Williamsburg, Virginia, con un propósito doble: preparar jóvenes para el ministerio y hacer posible un entrenamiento bueno para la juventud.

Entonces, se puede apreciar que las dos primeras instituciones de la educación superior en América del Norte fueron instituciones cristianas, fundadas para preparar al clérigo evangélico.

Antes de seguir con nuestro trazado de la educación hasta su llegada a Latinoamérica, hay que resumir un poco. Hasta este momento en la historia, casi toda la educación había tenido una orientación cristiana. Tanto en Europa como en América del Norte, la educación secular y la educación cristiana se desarrollaron juntas, casi inseparablemente. Pero al llegar los siglos XVII y XVIII, el énfasis cristiano empezó a desintegrarse. Hubieron varios factores que contribuyeron a esto.

El avance de la ciencia, y las nuevas especulaciones intelectuales llevaron al hombre a cuestionar su fe y creencia en cosas sobrenaturales. El conocimiento y el cristianismo empezaron a separarse y surgieron grandes pensadores como Descartes, Kant, Galileo, Leibniz y otros. Las contribuciones intelectuales crearon un nuevo individualismo, cientificismo y modernismo, las que dieron énfasis a lo humano, en desmedro de lo divino y lo espiritual. Algunos de los nuevos modos de pensar hasta se burlaban del cristianismo por sus "supersticiones" y negaban la posibilidad de una palabra inspirada por Dios. Por consiguiente, por la mitad del siglo XVIII, la iglesia había perdido su mayor control sobre la educación. Esta situación fue empeorada en las colonias norteamericanas por una afluencia grande de inmigrantes sin afiliación religiosa en la década de 1690 y también por un espíritu de aventura, creado por el movimiento de la población norteamericana hacia las fronteras del oeste.

Por lo tanto, la educación secular y la educación cristiana se dividieron y hasta ahora permanecen así en la comunidad evangélica. La educación cristiana que salía de este tiempo mayormente ha dejado la educación secular en manos del estado y se responsabiliza solamente por la instrucción religiosa de los suyos. (Hay muchas excepciones a esto pero, en general, ha sido así.) La mayor manifestación de tal instrucción es la escuela dominical. Tan importante ha sido su papel en el desarrollo de la educación cristiana que se debe explicar algo de su historia.

II. HISTORIA DE LA ESCUELA DOMINICAL

Después de la separación de la educación secular y la educación cristiana, la manifestación más evidente de la educación cristiana ha sido la escuela dominical. Por supuesto, se ha desarrollado, además de la escuela dominical, un sistema intrincado de colegios, universidades y seminarios, todo lo cual nos daría un estudio muy interesante. Sin embargo, nuestro propósito es solamente construir una base histórica de los eventos en América del Norte para llegar a un entendimiento de lo que sucede en América del Sur.

La separación de educación secular y educación cristiana en Norteamérica fue única. Estados Unidos fue el primer país en la era cristiana en la cual no existía una religión del estado que afectara su sistema educacional. Este fenómeno se debe mayormente a la libertad religiosa con la cual se fundó ese gran país. En Latinoamérica, por el contrario, siempre ha existido un lazo estrecho entre la Iglesia Católica y el estado. Por lo tanto, la educación ofrecida por los gobiernos es influenciada mucho por aquella institución. No obstante, en el pueblo evangélico de Latinoamérica ha existido una reacción contra eso, algunas veces fuerte. En las iglesias evangélicas hay una mayor preocupación por una enseñanza bíblica sana en cuanto a la vida espiritual. Para ellos, no basta el catecismo que se recibe en las escuelas y colegios. De tal modo, los evangélicos mayormente dejan los estudios seculares y generales a las escuelas del estado y se responsabilizan por la enseñanza religiosa en sus hogares e iglesias. Siguiendo el ejemplo de las iglesias evangélicas de América del Norte, los evangélicos de los países sudamericanos también han utilizado la escuela dominical como el medio más potente para realizar su enseñanza religiosa. Al darse cuenta de esto, viene y vale la pregunta: ¿De dónde surgió el concepto de la escuela dominical? En este estudio de las bases históricas de la educación cristiana es importante contestar la pregunta. Se hará en una forma breve.

El principio del concepto

No hay certeza sobre cuándo y cómo empezó la primera escuela dominical. Algunos trazarían sus raíces hasta Zinzerdorf, el pietista del siglo XVIII. Otros nombrarían a otras personas como los fundadores del movimiento, incluyendo a Wesley, el fundador de la Iglesia Metodista, y a Daughaday, un ministro metodista.

Parece que el concepto probablemente tuvo su origen en Inglaterra, en la segunda mitad del siglo XVIII. En 1780, aproximadamente, Roberto Raikes, conocido como el "padre de la escuela dominical," empezó su trabajo en este campo en Gloucester, Inglaterra. Raikes fue un periodista que ofreció unas clases dominicales a los niños de la calle para prevenir el crímen. Empezó empleando a un maestro para enseñar a los niños que trabajaban en las fábricas seis días de la semana y que durante los domingos se encontraban deambulando por las calles, al borde de la delincuencia.

La idea se difundió rápidamente y otras ciudades inglesas empezaron a formar sus escuelas. En 1785, William Fox, un bautista, formó la primera organización para promover escuelas dominicales. Los propósitos de su "sociedad" de promoción incluían lo siguiente: "Prevenir el vicio, animar la industria y las virtudes, dispersar la obscuridad de la ignorancia, difundir la luz del conocimiento y ayudar al hombre a entender su lugar social en el mundo." Se puede deducir de estos propósitos que las escuelas fueron mayormente para los pobres y que la idea fue que debían educarse dentro de su contexto y nivel socio-económico. En el año 1797 el movimiento había crecido hasta tener unos 250.000 niños matriculados en Inglaterra. Los niños aprendieron a leer y, por supuesto, el libro de texto fue la Biblia.

La idea de escuelas dominicales se traspasó a América con mucho entusiasmo, siguiendo más o menos la misma forma y política de las de Inglaterra. Lo que comenzó como un movimiento para enseñar a los pobres, llegó a ser el brazo educacional y evangelístico de las iglesias protestantes y evangélicas. En los Estados Unidos, las escuelas dominicales jugaban un papel muy importante en el avance evangélico que acompañaba la expansión de las fronteras estadounidenses. Las "sociedades" y agencias promocionales del concepto de escuelas dominicales también promocionaban, y a veces subvencionaban, la obra misionera en las áreas fronterizas.

En el año 1872 se realizó un plan para tener una serie de lecciones uniformes o internacionales. La Convención Internacional de Escuelas Dominicales estimaba el inicio de algunas convenciones denominacionales y también proveía para todo el mundo evangélico una enseñanza más o menos uniforme. La idea fue que en cualquier iglesia y en cualquier denominación todos estudiarían el mismo pasaje general en un domingo dado. El resultado fue positivo. Con un sistema de lecciones internacionales, todo el mundo evangélico estudiaba la misma cosa cada domingo. Alrededor del mundo de habla inglesa, se distribuían las lecciones internacionales por medio de las organizaciones misioneras, y se traducían las lecciones a casi cualquier idioma que se pueda imaginar (en 1900 se habían traducido a cuarenta idiomas).

El movimiento de lecciones internacionales ha seguido (no sin problemas, por supuesto) hasta el presente. El movimiento general de las escuelas dominicales también se ha desarrollado en muchas formas. Ha sido influenciado mucho por la educación secular en cuanto a teoría, técnicas, filosofía y metodología. En muchas denominaciones grandes la escuela dominical ha sufrido una baja. Pero en las agresivas denominaciones evangelísticas como los Bautistas del Sur y los grupos pentecostales (en los Estados Unidos), la matrícula sigue aumentando y la enseñanza-aprendizaje sigue mejorando.

Con esta pequeña base histórica, pasamos a un entendimiento de cómo llegó todo esto a latinoamérica. Dejamos una discusión más específica de la escuela dominical de hoy para el capítulo 13.

III. EL MOVIMIENTO MISIONERO HACIA AMERICA LATINA Y SUS IMPLICACIONES PARA LA EDUCACION CRISTIANA

Se da por sentado que nuestra discusión de la educación cristiana en latinoamérica es acerca de la educación en las iglesias evangélicas. No se deben menospreciar las contribuciones de la Iglesia Católica ni se debe considerar que la educación cristiana evangélica se ha desarrollado en un vacío educacional. La relación entre la iglesia tradicional y el movimiento evangélico, incluyendo los conflictos, ha jugado un papel importante en el desarrollo y entendimiento de qué debe incluirse en un programa educacional religioso. Por supuesto, este estudio es escrito por evangélicos y para evangélicos, de tal modo que no se va a tocar la historia de la educación en la Iglesia Católica. Tal hecho no indica que el autor piensa que la educación cristiana empezó recién cuando se fundaron las primeras iglesias evangélicas. Pero sí indica que la educación cristiana en nuestra propia tradición, la que creemos es más bíblica y más correcta, empezó con la llegada del cristianismo protestante y evangélico a América del Sur. La discusión que sigue no solamente refleja una perspectiva evangélica, sino también bautista, por el trasfondo denominacional del autor.

La llegada de la empresa misionera

Existen otras fuentes buenas de información concerniente a la empresa misionera en latinoamérica, y por eso delimitamos nuestra discusión aquí a algunas generalidades importantes para nuestro entendimiento de la historia de la educación cristiana. Deiros, en su *Historia del Cristianismo,* incluye dos excelentes capítulos sobre el movimiento misionero hacia latinoamérica, a los cuales el lector puede referirse para los detalles que le interesen.

En la introducción a este capítulo, se dijo que la educación cristiana se desvió desde Europa hacia América del Norte en camino a América del Sur. Cabe recordar que se está hablando de *educación cristiana* y no necesariamente del movimiento protestante en sí. No se debe menospreciar la tremenda influencia de los europeos en la evangelización de latinoamérica. Los primeros misioneros en muchos de los países sudamericanos fueron europeos, muchos de ellos emigrando por su propia cuenta y evangelizando contra la oposición y persecución. Deiros hace una distinción muy significativa cuando explica, en un paréntesis, que las iglesias protestantes en latinoamérica son "de origen europeo por la inmigración, pero por sobre todo de origen norteamericano por la obra misionera" (pág. 249).

Los misioneros inmigrantes de Europa ciertamente trajeron sus ideas, doctrinas, prácticas y estrategias. Pero uno supondría que fue con la llegada de un movimiento misionero organizado, el de los Estados Unidos, que llegaría también una influencia educacional más organizada y por lo tanto más influyente. Parece que fue así y que la educación ha jugado un papel importante en el desarrollo y crecimiento de las iglesias evangélicas en latinoamérica.

Según Means, en *Advance: A History of Southern Baptist Missions* (Avance: Una historia de las misiones de los Bautistas del Sur) el interés en la educación y el desarrollo social fue un factor importante en el crecimiento de la obra bautista. Construyendo, en algunos casos, sobre las bases formadas por bautistas franceses, alemanes, ingleses y escoceses, los misioneros de los Bautistas del Sur de los Estados Unidos fundaron escuelas bautistas porque no habían escuelas públicas. Otras denominaciones hicieron la misma cosa. En muchos casos, el testimonio evangélico tomó el carácter exclusivo de instituciones educacionales fundadas por los misioneros.

Read, Monterroso y Johnson afirman que "las instituciones misioneras en Sudamérica se multiplicaron conforme las iglesias protestantes y las misiones tradicionales trataron de evangelizar a las clases superiores por medio de la educación" (pág. 20). Las instituciones misioneras, además de ser los vehículos para hacer llegar la educación cristiana, servían como modelos para mejorar la educación secular y disminuir la tasa de analfabetos, a pesar de tocar específicamente a una porción pequeña de la población. En los primeros años del siglo veinte, la falta de una educación adecuada en el sector público de los países latinos dio ímpetu a la influencia evangélica. Read, Monterroso y Johnson siguen diciendo: "La educación era la necesidad desesperante. ¿No era éste el llamamiento de Dios para aquel período?" (pág. 20; se refiere a 1900-1916).

A medida que los misioneros norteamericanos iban llegando, especialmente a partir de 1919, traían consigo sus ideas y tradiciones educacionales. Traían ideas de cómo instruir a los miembros de sus iglesias (la escuela dominical), y de cómo entrenar a los líderes nacionales (instituciones teológicas). Estos métodos de preparación lógicamente reflejaban las características de la educación religiosa norteamericana, porque esa fue la educación que los misioneros conocían. Lamentablemente, un trasplante educacional y/o institucional de una cultura a otra no siempre trae los mejores resultados.

Bien puede ser que otros métodos de enseñanza cristiana hubieran tenido más éxito, pero es indudable que la escuela dominical se plantó firmemente como una de las influencias mayores en el desarrollo del cristianismo evangélico en latinoamérica. La producción y distribución de materiales curriculares y literatura periódica para uso de la escuela dominical y de otras organizaciones de la iglesia local, ha contribuido significativamente al discipulado del pueblo cristiano en latinoamérica. Desde la producción de la primera copia de *El Expositor Bíblico* hasta el actual currículo integrado de la Casa Bautista de Publicaciones, la literatura para las clases dominicales ha servido de estímulo y de una línea doctrinal en las iglesias bautistas, unificándolas e instruyéndolas para poder evangelizar con la certeza de una base definitivamente bíblica.

En resumen, pues, tendríamos que concluir en que: (1) La educación cristiana en las iglesias bautistas de latinoamérica (escuela dominical, organizaciones misioneras, etc.) es mayormente un trasplante de la educación cristiana de las iglesias de los Estados Unidos; (2) por buena o mala que sea, esta educación trasplantada ha sido usada por el Señor; (3) su apoyo mayor a la fortificación y el crecimiento de la obra ha sido en la producción y distribución de literatura y (4) con nuevos esfuerzos en la Casa Bautista de Publicaciones y otras editoriales evangélicas para fomentar una educación integral, y con un nuevo entendimiento entre los líderes nacionales y misioneros acerca de qué es la educación cristiana, el programa educativo de la iglesia local tendrá aún más influencia en el desarrollo y crecimiento de la obra en los años venideros.

Preguntas para el repaso

Después de leer el texto, responda a las siguientes preguntas:

1. ¿Cuál fue la diferencia principal en la escena religiosa de América del Norte y la del Sur?
2. ¿En qué sentido había similitud entre la educación de los colonizadores norteamericanos y los israelitas?
3. Hubo tres factores muy importantes en el desarrollo de la educación cristiana entre los colonizadores norteamericanos. ¿Cuáles son?

4. ¿Cuáles son los tres puntos principales que se deben reconocer en cuanto a la educación cristiana en Nueva Inglaterra?

5. En Nueva Inglaterra se ponía mucho énfasis en la importancia de la enseñanza en el hogar. Evalúe el derecho de la comunidad en los casos de los padres que no cumplieron con sus responsabilidades educacionales.

6. ¿Cuáles podrían ser algunas aplicaciones a la educación cristiana o educación teológica (preparación de ministros) de un sistema de aprendiz/maestro?

7. ¿Por qué los colonizadores en las colonias centrales no formaron escuelas comunes? ¿Cuál fue la alternativa?

8. A la luz de la discusión de la educación cristiana en las colonias centrales, ¿cuál sería su opinión sobre colegios evangélicos en latinoamérica? ¿Podrían funcionar bien colegios y/o universidades inter —o no —denominacionales? ¿Por qué?

9. ¿Cuál fue la diferencia mayor entre los colonizadores en las colonias del Sur y los de Nueva Inglaterra y las colonias centrales? ¿Cómo afectó esto su concepto de la educación cristiana?

10. ¿Por qué se dividió la educación cristiana y la educación secular en los siglos XVIII y XIX?

11. ¿Por qué se conoce a Roberto Raikes como "el padre de la escuela dominical"?

12. ¿Quién fue William Fox?

13. ¿Qué factor existía en los Estados Unidos que no existe en latinoamérica y que influyó mucho en la división entre la educación cristiana y la secular?

14. Debido a que la Iglesia Católica generalmente controla el sistema educacional en los países latinoamericanos, ¿cuál ha sido el mayor recurso de los evangélicos para realizar su enseñanza religiosa?

15. Explique el concepto de las lecciones internacionales.

16. ¿En qué sentido afectó el movimiento misionero a la educación secular en latinoamérica?

17. Explique el papel significativo de la producción de literatura cristiana en el desarrollo y crecimiento de la obra evangélica.

18. ¿Cuáles son algunas ventajas y desventajas en un trasplante educacional de una cultura norteamericana a una cultura latina?
19. Mencione, en sus propias palabras, cuatro conclusiones que se podrían extraer de las influencias del movimiento misionero en el desarrollo de la historia de la educación cristiana en latinoamérica.

Temas de discusión

1. Haga una comparación entre la mentalidad o filosofía educacional de los colonizadores del sur de los Estados Unidos y la supuesta opresión de las masas de latinoamérica durante los últimos cien años.
2. ¿Habría otro sistema educacional (aparte de la escuela dominical), netamente latino, que pudiera servir mejor a las necesidades de los evangélicos latinos?
3. Hace pocos años, un conocido predicador latino dijo que la escuela dominical no puede ser una herramienta evangelística en latinoamérica porque la gente latina no llega a grupos pequeños antes de llegar primero a grupos grandes (cultos de adoración). ¿Tenía razón este hermano? La escuela dominical, ¿ha sido, es o podría ser un brazo evangelístico en su iglesia? Si usted dice que sí, ¿qué cambios tendrían que hacerse para lograr que la iglesia gane nuevos miembros a través de la escuela dominical?
4. ¿Cuál debe ser la actitud de un cristiano evangélico en cuanto al aporte educacional, del pasado y del presente, de la Iglesia Católica? ¿Qué problemas se presentan en su país entre alumnos católicos y alumnos evangélicos o entre alumnos evangélicos y administraciones católicas? ¿Hay pasos que se podrían tomar para aliviar los problemas?

Tercera parte

BASES SOCIO-CULTURALES Y PSICOLOGICAS PARA LA EDUCACION CRISTIANA

Capítulo 9

LA EDUCACION CRISTIANA EN SU CONTEXTO SOCIO-CULTURAL

I. ¿QUE SIGNIFICA SOCIO-CULTURAL?

Sucede, a veces, que algunos términos van tomando un lugar en nuestro vocabulario, especialmente en círculos profesionales, y no estamos seguros a qué nos referimos cuando los usamos. Un término tal es "socio- cultural." Todos tenemos una idea de su signficado general, pero es difícil definirlo en términos específicos. Para cumplir nuestro objetivo para este capítulo, es necesario definir el término socio-cultural, para que tengamos un punto de referencia común. Así, podremos luego pensar en algunas implicaciones del ambiente socio-cultural para la educación cristiana.

Definiciones

Sociedad. El Diccionario Larousse define la sociedad como un "estado de los hombres o de los animales que viven sometidos a leyes comunes." Por sociedad, pues, queremos entender lo que es relativo a un grupo de personas que viven en conjunto, sea tal grupo grande o pequeño, y que vivan en un área geográfica limitada o extendida.

Cultura. El concepto de "cultura" es, de verdad, muy complejo y uno podría dedicar mucho tiempo tratando de deducir lo que realmente es. Sencillamente, cultura se define como el "desarrollo intelectual o artístico", pero ha llegado a tener la connotación de lo que caracteriza a una sociedad. Una buena definición para nuestros propósitos sería: ". . . los hábitos, creencias, sistemas de valores, y formas de pensamiento de una gente dada en un tiempo dado." [Charles Nicholas, en Graendorf, pág. 146].

Tomando ideas de estos dos conceptos de sociedad y cultura, "socio-cultural", pues, se refiere al contexto de vida en el cual uno se encuentra. Es importante que el educador cristiano estudie y entienda, en lo posible, algo de la cultura en la cual desempeña su ministerio.

Chamberlain afirma, efectivamente, que hay una relación estrecha entre la educación y la cultura. Cada patrón y filosofía educacionales se condiciona por la escena cultural y a la vez es la expresión de la misma. La educación, incluyendo la cristiana, no funciona en un vacío, sino dentro de, por causa de, y reflejando un contexto socio-cultural. Queremos ver, luego, cuáles son las impliaciones de esta verdad para la iglesia, especialmente en cuanto a su ministerio de educar. Pero antes, revisemos rápidamente los ingredientes o factores evidentes en la cultura latina que gobiernan la vida de millones que viven en estos países.

Contexto socio-cultural en latinoamérica

La iglesia evangélica local, que cumple su ministerio en latinoamérica, lo hará dentro de una miríada de factores que componen la socio-cultura latina. Samuel Escobar, un prominente bautista peruano, ha caracterizado a latinoamérica como una combinación de populismo, crisis económica y violencia revolucionaria.

Nida, una autoridad en la antropología latina, sugiere que los latinos se caracterizan por tendencias contradictorias. Tales tendencias se describen con los contrastes siguientes: autoridad vs. individualismo (personalismo); idealismo (quijotismo) vs. realismo (sanchismo); y la dominación de los hombres (machismo) sobre la dependencia de las mujeres (hembrismo).

Nosotros, que vivimos en latinoamérica, tendríamos que admitir que vemos la presencia de estos casos en derredor nuestro cada día, aunque no quisiéramos estereotipar a todos para que se conformen a características generales de latinoamericanos. Tendríamos que admitir también que vemos mucha pasión, inconstancia e inestabilidad, pero que a la vez hay calma y apatía.

Geyer describe un contraste entre las personas a las que ella denomina: "el latino antiguo" y "el latino nuevo." El primero se caracteriza por "el síndrome Amazonas," una falsa esperanza de lo que el continente sudamericano pudiera ofrecer, pero donde no se ha hecho mucho progreso. El segundo representa un nuevo tipo de fuerza, propiamente latina, que se caracteriza por un deseo de gobernar y vivir sin influencias externas y paternalismo foráneo.

El informe de UNELAM de 1970, indicó varias características de la gente con la cual trabajamos en nuestras iglesias. Entre ellas mencionó éstas:

1. Masas campesinas marginadas (en algunos países, éstos se han convertido en pueblos nuevos y barrios marginales con la urbanización de los últimos quince años).

2. Analfabetismo (aproximadamente el 30% de la población, según la *World Christian Encyclopedia* ("Enciclopedia cristiana mundial", 1983).

3. Enfermedad y desnutrición.

4. Diversidad demográfica

5. Economía (este factor se ha convertido en un problema enorme con la inflación, la devaluación rápida de monedas nacionales y las deudas nacionales externas).

Su informe indica otro factor que toca específicamente al desarrollo de la iglesia en medio de la cultura latina. Dice el informe: "debemos reconocer que [se ha] manifestado una paternalidad que ha prolongado excesivamente una situación de dependencia económica, teológica y cultural. Junto con el evangelio, los misioneros evangélicos nos trajeron valores de su propia cultura nacional" (pág. 21).

Este autor reconoce el peligro de analizar la cultura latina desde una perspectiva no-latina, pero después de vivir varios años en un ambiente latino, se atreve a hacerlo. La iglesia evangélica no puede ignorar el trasfondo de sus miembros y su ambiente diario, si espera funcionar ministrando específicamente a las necesidades de la iglesia y de la comunidad. Hay que reconocer que un porcentaje mayor de la población es católica (por lo menos un gran porcentaje no ha dicho que no son católicos). Hay que reconocer que mucho del llamado "paganismo" e "idolatría" que existe en la tradición católica, se ha pasado honestamente y fielmente de generación en generación, según la tradición de la iglesia adoptada de religiones indígenas. Las tradiciones católicas, sean éstas supersticiones, idolatrías o no, forman parte integral de la cultura latina. Es una cultura que sería incompleta (en su forma actual) sin la cruz, las procesiones, los peregrinajes, los milagros, las fiestas patronales y los santos. Son factores religioso-culturales que no se pueden cambiar rápidamente, si es que un cambio es necesario. Sobre esto pensaremos luego.

Además de las influencias católicas, pero influenciadas por éstas, hay otras características del vivir diario en latinoamérica. Una es el emocionalismo, que se evidencia en tantas maneras como, por ejemplo, los gestos manuales durante una conversación, la ira e impaciencia de los choferes, el volumen de la música, la repetición de frases y compases en la música indígena, la popularidad de las canciones breves en los cultos evangélicos, y aún el crecimiento rápido de algunos grupos pentecostales.

Otra característica importante es, también, una filosofía fatalista, que determina la vida diaria con una actitud de "que será, será." Esta actitud, quizá influenciada por la religión tradicional, que enfatiza más la recompensa eventual que la actual, penetra la vida diaria. Se ve en la aceptación de la mortalidad de los niños. Un padre peruano lo expresó después de la muerte de uno de sus varios hijos, diciendo que fácilmente se podría concebir otro para reemplazarlo. ¿Esto es una actitud positiva o una filosofía fatalista?

Esta filosofía fatalista de "que será, será" se ve también en sencillas actividades cotidianas: cruzar la calle sin averiguar la presencia de automóviles; no respetar las señales de tránsito; gastar el sueldo en licor, mientras los hijos tienen hambre; manejar un negocio sin buena planificación, etc. Aun se ve en la iglesia, cuando un cuerpo local trata de hacer la obra del Señor "así no más", sin planificación, sin estrategia. "Que será, será." De esto trataremos más en la sección siguiente.

Como se dijo al comienzo, éstas son características, entre muchas más, que existen en nuestra cultura latina. En lugar de negar su existencia o de juzgar y criticar, debemos analizar qué es lo que necesita cambiarse. De allí podremos tomar los pasos necesarios para efectuar los cambios. Este, precisamente, es el papel de la educación en la iglesia local, frente a y dentro del ambiente socio-cultural.

II. LA EDUCACION CRISTIANA EN LA PERSPECTIVA SOCIO-CULTURAL

¿Cómo afecta todo lo dicho arriba a la educación cristiana que se realice en la iglesia local? ¿Cuáles son las implicaciones para la iglesia que funciona en el contexto social de un país latinoamericano y en la cultura católica-latina? Busquemos algunas posibles respuestas a estas preguntas.

Relación entre la educación y la cultura

Ya se ha dicho que la educación es parte de cada cultura, que la educación es condicionada por la cultura y que la cultura puede ser afectada por la educación. Después de haber existido bajo influencias culturales como las descritas arriba, algunos países latinos han experimentado pocas transiciones en su sistema educacional secular. Muchos países siguen con métodos tradicionales, es decir, con memorización y repetición, en la educación primaria y secundaria. En muchas universidades la enseñanza consiste en dar conferencias y exámenes y poco más. Es decir que, en muchos de los países latinos, considerados subdesarrollados según la medida de las sociedades industrializadas del mundo occidental, la cultura no ha condicionado la educación en una forma que le permita o que le inste a avanzar. Sea esto por falta de interés, de técnica, o falta de recursos económicos y/o de personal, parece que esta es la situación.

La educación cristiana: herramienta de mantenimiento, cambio y crecimiento

La iglesia de Cristo es el medio que Dios usa para efectuar cambios en el mundo. La educación siempre es un agente de cambio. Por lo tanto, la educación cristiana puede ser usada por Dios y su iglesia para fomentar algunos cambios necesarios en la socio-cultura latina y en la población en general, tanto como dentro de la comunidad cristiana.

En la población en general. La iglesia evangélica debe proyectarse en el mundo secular, expresando sus opiniones, fomentando cambios, enseñando un mejor camino a través de actitudes, acciones y testimonios. La iglesia debe involucrarse en los problemas del mundo, buscando y enseñando soluciones a las miserias que existen en la sociedad.

Si entendemos que la vida no es una existencia en dos esferas, la una espiritual y la otra física, entonces el testimonio y el ministerio de la iglesia no deben cambiar de cara de acuerdo a donde se encuentre la iglesia. Esta, más bien, debe de ser la iglesia en el mundo, aportando las verdades y principios de los cuales es portadora, para que los problemas sociales y culturales se solucionen.

Cully dice: "Hablar de la hermandad de los hombres bajo Dios no es un sustituto para darles a todos acceso a trabajo, a viviendas, y a la educación" (pág. 26). La iglesia evangélica no debe contentarse con lamentar la pobreza, el desempleo, la violencia y la corrupción gubernativa. Más bien, se debe meter en los problemas del mundo. Los evangélicos suelen decir que Cristo es la única esperanza. Pues, tienen que enseñárselo al mundo y tiene que demostrarse cómo Cristo soluciona problemas.

A veces una sociedad es tan apática o tan letárgica que no le interesa solucionar sus problemas. Algunos miembros de la sociedad se han acostumbrado tanto a los males en su derredor que se han hecho ciegos a los problemas y a la necesidad de cambios. Después de mucho tiempo en cierto ambiente cultural, la gente es conformista. Lo que es familiar y habitual es cómodo y cambiar es difícil. A veces los problemas de una clase socio-económica son de utilidad para otra clase y a veces un grupo o sub-cultura puede aprovecharse de otro. En tales circunstancias la iglesia tiene que tener una base doctrinal y práctica bien fundada, debe permanecer firme en sus convicciones y debe seguir insistiendo, con urgencia mezclada con paciencia, que el camino de Cristo es el camino hacia las soluciones. La iglesia que no puede enseñar esta verdad con sus palabras y con sus vidas no será el agente de cambios que Dios quiere que sea.

En la comunidad cristiana. Una vez evangelizado, le queda una sola cosa al nuevo creyente para vivir efectivamente para Cristo: educarse. Llámese lo que quiera: discipular, conservar, instruir, confirmar, edificar, etc., la mayor responsabilidad de la iglesia después de evangelizar (y de igual importancia), es proveer una educación continuada para sus miembros. Si la iglesia ha de propagarse, y si la iglesia ha de enfrentar los problemas sociales y culturales, tiene que ser una iglesia instruida en lo que cree y en cómo lo que cree debe afectar la vida diaria de sus miembros.

La iglesia local tiene que tener un programa de educación cristiana, de acuerdo a sus necesidades, para mantenerse en medio de una cultura que puede ser adversa a sus esfuerzos. "Al exigir que cada generación que surge sea condicionada y adoctrinada por sus ancianos en un programa 'educacional', planificado concientemente, éste le ayuda a proveer continuidad" [Chamberlain, pág. 75]. Es un comentario triste que algunas iglesias ni se preocupan por mantenerse a sí mismas a través de un programa de educación cristiana, y mucho menos en utilizar la educación para efectuar cambios y para hacer crecer a la iglesia.

Desde el momento de la salvación, el cristiano está en un proceso de cambio. La educación cristiana ayuda en este proceso. Mientras el creyente aprenda y cambie, él también influye en los cambios en otras personas. Brown dice: "La educación es el proceso conscientemente controlado en el cual se producen cambios en el comportamiento de la persona y a través de él, dentro del grupo" (pág. 165). Así, mientras la iglesia se mantenga y efectúe cambios en los cristianos, también efectúa cambios en la sociedad, *como una consecuencia normal*. Algunos evangélicos ponen mucho énfasis en el evangelismo, dejando a un lado la educación. Este autor sostiene que tal posición no es lógica. La educación cristiana es la mejor herramienta evangelística que tiene la iglesia.

Implicaciones socio-culturales para las iglesias latinas

Queda, entonces, para concluir, el tratar de recapitular algo de lo dicho y concretar sus implicaciones para las iglesias evangélicas locales. Podemos resumir recalcando algunos puntos:

1. Las iglesias evangélicas latinas existen y funcionan en un ambiente socio-cultural muy variado, pero con algunas características discernibles.

2. Estas características discernibles incluyen crisis económica, violencia, personalismo, machismo, pasión, analfabetismo, desnutrición, emocionalismo, fatalismo y una fuerte influencia católica.

3. Hay una relación estrecha entre la educación y la cultura.

4. La educación es un agente de los cambios que se deben hacer en la sociedad y en la cultura.

5. Las iglesias evangélicas latinas deben usar su ministerio de educación cristiana para: (1) mantenerse como cuerpo de Cristo; 2) efectuar cambios en la cultura y la sociedad por medio de fomentar cambios en las vidas individuales de sus miembros, y (3) alcanzar la sociedad de la cual es parte, para Cristo.

Preguntas para el repaso

Después de leer el texto, responda a las siguientes preguntas:

1. Describa la relación entre la educación y la cultura.
2. ¿Qué quiere decir la afirmación de que la educación cristiana no funciona en un vacío?
3. Mencione seis características de la cultura latina, considerando las sugerencias de Escobar y Nida.
4. Defina los términos siguientes, en sus propias palabras: sociedad; cultura; contexto socio-cultural; personalismo; quijotismo; sanchismo; machismo; hembrismo.
5. Mencione algunas indicaciones de la existencia de una filosofía de vida fatalista en América Latina.
6. Considerando todas las características culturales que se mencionaron en este capítulo, más sus ideas personales, mencione cuatro características que le parecen las más evidentes.
7. Compare las características culturales indicadas por UNELAM con las condiciones de su país. ¿Cuáles son las características más prominentes?
8. ¿Por qué resiste cambios la sociedad?
9. En su opinión, ¿cuál es el peligro que correrían las iglesias evangélicas en ignorar la existencia de tradiciones católicas en el ambiente socio-cultural?

10. ¿Ayuda al educador cristiano recordar que la gente latina es una gente emocional? ¿Por qué? ¿Cómo podría afectar la enseñanza en la iglesia?

11. Analice la actitud de "que será, será." ¿Existe tal actitud donde usted vive? ¿Qué puede hacer la educación cristiana al respecto?

12. ¿Es la educación *siempre* un agente de cambio? Explique.

13. ¿Cómo se proyecta la iglesia en el mundo?

14. Según este capítulo, ¿cuál es la mejor herramienta evangelística que tiene la iglesia?

15. ¿Cuáles son las tres funciones principales de la educación cristiana, como parte de un ambiente socio-cultural?

16. Reaccione a esta declaración: "La iglesia evangélica no debe contentarse con lamentar la pobreza, el desempleo, la violencia y la corrupción gubernativa."

17. Si es cierto que la sociedad resiste cambios porque está cómoda en su apatía, letargo o por otra razón, ¿qué nos enseña esto en cuanto a la sub-cultura que es una iglesia evangélica?

18. Describa la relación entre el evangelismo y la educación.

19. ¿Cuál es la relación entre la doctrina de la santificación y la educación cristiana?

Temas de discusión

1. ¿Cuáles son las ramificaciones e implicaciones de la teoría de Geyer en cuanto al "latino antiguo" y el "latino nuevo"? ¿Se podría discernir la existencia de un "síndrome Amazonas," que se refiere a la grandeza, la riqueza y la esperanza latente en América Latina, pero al que le falta desarrollo?

2. ¿Cómo afecta a la cultura el subdesarrollo de los recursos naturales y personales? ¿Cómo afecta a la iglesia un subdesarrollo nacional? ¿Cómo afecta a la iglesia un subdesarrollo propio, dentro de la membresía?

3. ¿Hasta qué punto pueden ser toleradas por una cultura las influencias externas? ¿Cuál es la diferencia entre una buena influencia externa y el paternalismo?

4. ¿Cuáles podrían ser algunas indicaciones de que una mentalidad sacerdotal del catolicismo ha penetrado en las iglesias evangélicas? (Por ejemplo: división del clero y los laicos, iglesias pastor-céntricas, etc.)

5. A la luz de la discusión de este capítulo, ¿cuál debe ser la actitud de los creyentes en cuanto a su participación en el mundo político?

6. Analice el ambiente socio-cultural de su país. ¿Cuáles son algunos rasgos de la gente, que deben ser cambiados? ¿Cuáles son algunos cambios que debe hacer su iglesia en su programa educacional para adaptarse más a la realidad de su ambiente socio-cultural?

Capítulo 10

INFLUENCIAS PSICOLOGICAS DE LA EDUCACION RELIGIOSA

I. LA PSICOLOGIA Y LA EDUCACION

Ronald Gray afirma: "El campo de la psicología ha conquistado mucho respeto en las últimas décadas. Por lo tanto un estudio de la educación sería incompleto si no se tomaran en cuenta los principios aceptables de crecimiento y desarrollo humanos" (en Sanner y Harper, pág. 118).

En este capítulo queremos tomar en serio el desafío que tal afirmación nos presenta, aunque sea en forma introductoria y superficial. Debemos entender algunos de los principios a los cuales se refiere el doctor Gray, las teorías de desarrollo humano, el efecto y la relación que tales teorías tienen sobre la educación. El educador cristiano que toma en serio su responsabilidad de hacer todo lo que pueda para asegurar una buena instrucción del pueblo de Dios, no dejará a un lado los conocimientos psicológicos que le puedan ayudar en su tarea. Nuestro propósito en proseguir un breve estudio de la psicología educacional no es meramente académico. Más bien, lo que aprendemos debe ser de ayuda para cumplir nuestra función en el plan educacional de la iglesia local.

Cabe decir que no se tiene que justificar un estudio psicológico en una serie de estudios de esta índole, ni pedir disculpas por haberlo hecho. Se reconoce clara y agradecidamecte la guía y el poder del Espíritu Santo para indicar lo que uno necesita aprender acerca de Dios y de las verdades espirituales. A la vez, es una convicción firme de este autor, que cuando el Señor ponga al alcance de uno, conocimientos humanos que le ayuden a entender o enseñar verdades divinas, a él le agrada que uno aproveche la oportunidad presentada.

Como en el capítulo anterior, ayudaría que empecemos nuestro estudio definiendo algunos términos clave.

Definiciones de psicología

Generalmente, la psicología se define como el estudio o la ciencia de la conducta humana; es decir, el estudio de cómo actúan los humanos. Pero la psicología tiene que ver no solamente con el comportamiento externo del individuo, sino con los impulsos internos que le hagan hacer lo que hace. La psicología incluye el estudio de la conciencia del hombre, el porqué de sus acciones, tanto como las acciones mismas. Al psicólogo le interesa saber qué existe en la conciencia del hombre, quizá aun en su alma, que contribuye a su conducta visible. Es importante recordar que la psicología no es el mero proceso de especular sobre los pensamientos y actitudes de una persona y la relación que esto tenga con su conducta. Más bien, es una ciencia precisa, que se basa en experimentos controlados, en datos científicos y con indicaciones suficientes para postular teorías en cuanto a la conducta del hombre.

La educación desde la perspectiva psicológica

Una pregunta clave para el educador, aun para el educador cristiano, es: ¿qué tiene que ver la psicología con la educación? Debe ser obvio que hay relación entre los dos campos. La psicología es la ciencia de la conducta humana y vimos en el capítulo anterior que una función de la educación es cambiar la conducta del ser humano. Por lo tanto, la psicología y la educación llegan a ser interdependientes. Esta relación íntima entre la psicología y la educación se conoce como psicología educacional. Precisamente, la psicología educacional se define como "la aplicación de creencias y relevantes conocimientos psicológicos a la teoría y práctica de la educación" (Lefrancois, pág. 10).

Tal aplicación se hace en varios subcampos de estudios psico-educacionales. Un estudio de estos subcampos está más allá de este estudio introductorio. El alumno serio procurará materiales que le ayuden a profundizarse en este campo importante. Los subcampos del estudio de la psicología educacional se mencionan aquí en forma breve.

1. *Teorías de aprendizaje.* La mayoría de los psicólogos educacionales están de acuerdo en que hay tres teorías generales de aprendizaje (cada una es un campo de estudio extenso dentro de sí). El *conductismo,* desarrollado por los doctores Watson y Skinner, es el estudio de los estímulos (lo que causa la conducta) y las respuestas (la conducta misma). Esta teoría de aprendizaje se basa en reglas científicas, más o menos rígidas, que pretenden probar que toda conducta humana se puede condicionar, usando estímulos que producirán las respuestas deseadas.

El *cognoscitivismo* pretende explicar cómo el ser humano desarrolla su entendimiento de sí mismo y de su mundo. Hay un énfasis en el uso de la razón en tomar decisiones, y en organizar y procesar información.

El *humanismo* concierne más a los aspectos emocionales o actitudinales de la conducta humana. Los humanistas tienen interés en cómo sienten y perciben su mundo las personas.

2. *Teorías de instrucción.* Aunque un estudio detallado incluiría muchas subdivisiones más de las teorías acerca de la instrucción, podemos mencionar tres categorías generales de este subcampo de la psicología educacional. Estas teorías no hablan tanto de cómo la persona aprende, sino cómo afecta la aplicación de las teorías de aprendizaje al concepto de la enseñanza. La instrucción para lograr *respuestas cognoscitivas* tiene que ver específicamente con el procesamiento de información, es decir, de tener conocimientos. La instrucción para lograr *respuestas afectivas* es la instrucción que busca cambiar actitudes que tenga el alumno. La instrucción para lograr *respuestas psicomotrices* trata de enseñar al alumno destrezas físicas.

3. *Teorías de desarrollo.* Las teorías de desarrollo en el campo de la psicología educacional se interesan en los cambios secuenciales que puede haber en el desarrollo del ser humano. Tradicionalmente, estas teorías explican etapas de la conducta de las personas, de acuerdo a su edad . En los años recientes, este subcampo se ha extendido hasta incluir el desarrollo de la moralidad en la persona y aun el desarrollo de la fe. Más adelante veremos algo de algunas supuestas etapas de fe.

4. *Teorías de motivación*. Según Lefrancois, la teoría motivacional de la psicología educacional plantea cuatro preguntas: 1) ¿Qué inicia la acción? 2) ¿Qué dirige la acción? 3) ¿Por qué es aprendida la conducta? 4) ¿Por qué cesa la conducta? Un estudio detallado de la motivación incluiría una consideración de los instintos, del hedonismo y de las necesidades e impulsos del individuo.

Aun un estudio sencillo como este, debe incluir una mención de la teoría de la motivación de Abraham Maslow. La jerarquía de necesidades que presentó Maslow hace treinta años, es un ejemplo de un estudio clásico que ha permanecido y penetrado en muchos estudios psicológicos posteriores. Su jerarquía incluye cuatro categorías: necesidades fisiológicas (comida, agua, abrigo); necesidades de seguridad (ambiente saludable, ordenado); necesidades de amor y de pertenencia (ser parte de un grupo social); y necesidades de autoestimación (desarrollo de una buena opinión de uno mismo).

La relación entre la psicología y la educación

Ojalá que algunas relaciones entre la psicología y la educación se hayan hecho obvias con las discusiones anteriores. Si podemos descubrir: cómo uno aprende, qué le ayuda a aprender mejor, cuáles son las etapas de desarrollo de la vida que influyen en su aprendizaje, por qué aprenden, y por qué algunos pueden aprender más que otros, podremos, como educadores, influir en su aprendizaje. Aun en la iglesia, en la educación cristiana, lo podremos hacer. Como se dijo antes, es el Espíritu Santo quien nos guía en nuestros esfuerzos educacionales en la iglesia, pero no debemos ni por un momento dejar de lado los conocimientos que nos pueden ayudar a ser siervos más eficientes para nuestro Dios en servicio a su iglesia.

Al educador cristiano le ayudaría saber discernir algunas teorías de aprendizaje que norman la literatura que le proporciona la agencia publicadora de su denominación. Esto le ayudaría, por ejemplo, a poder explicar a sus maestros de la escuela dominical el porqué se incluyen ciertas actividades sugeridas en las ayudas didácticas de su revista. Le ayudaría a poder analizar su propia enseñanza, para determinar si la respuesta que busca su enseñanza es de pura información o si busca un cambio de actitudes. Tal análisis sería importante, aun para un predicador al planificar sus sermones. Un entendimiento de algunas teorías de desarrollo le ayudaría al educador cristiano a analizar su programa educacional, para determinar hasta qué punto éste llena las necesidades de toda su membresía, dentro de la cual hay variedad de edades. Saber algo de lo que motiva a la gente le ayudaría al educador cristiano en la promoción de sus ideas y programas.

Queremos tomar una de estas ideas, la del desarrollo humano, y ampliarla, considerando especialmente sus implicaciones educacionales y sus implicaciones para la iglesia.

II. DESARROLLO HUMANO

Teorías del desarrollo humano

Muchos son los que han contribuido en los estudios del desarrollo humano. Limitaremos nuestra discusión a un resumen o bosquejo de los descubrimientos de algunos de los teorizantes más conocidos.

Piaget. Jean Piaget, nacido en Francia en 1896, ha sido una fuerza importante en esta área por muchos años. Su trabajo ha sido mayormente en relación al desarrollo de los niños. Piaget sugiere que hay cuatro etapas de desarrollo en cada niño, sin variación. Varía solamente la edad en la cual el niño pasa de una etapa a la siguiente. He aquí las etapas de desarrollo sugeridas por Piaget (bosquejo adaptado de Klausmeir, pág. 143).

1. Senso-motriz (0-2 años). El niño en esta etapa aprende mayormente con sus cinco sentidos, experimentando con ellos en su ambiente.

2. Pre-ocupacional (2-7 años). El niño aprende un lenguaje, experimenta y actúa desde una perspectiva egocéntrica y desarrolla conceptos muy limitadamente.

3. Operaciones concretas (7-11 años). El niño en esta etapa puede pensar lógicamente, es más social que egocéntrico, y entiende conceptos y la relación de conceptos. El término operaciones se usa para describir que en esta etapa las acciones cognoscitivas se organizan en un sistema de inteligencia.

4. Operaciones familiares (11 años-adulto). El adolescen-

te en esta última etapa puede pensar lógicamente, no solamente con cosas concretas, sino también con conceptos abstractos.

Kohlberg. Laurence Kohlberg ha estudiado el desarrollo moral entre humanos en varias culturas. Ha establecido un sistema jerárquico de seis etapas en el desarrollo moral del individuo. Kohlberg cree que estas etapas son universales (para todas las culturas) y que la secuencia de las etapas es invariable. Su sistema se describe sencillamente a continuación.

1. Etapa de moralidad heterónoma. El niño de aproximadamente 2-6 años de edad está en una etapa de pre-moralidad. Sus acciones, sean buenas o malas, se determinan mayormente por la esperanza o el temor de recompensa o castigo.

2. Etapa de canjes instrumentales. La persona que se encuentra en la segunda etapa de su desarrollo moral, todavía depende mucho de reglas y controles externos, pero reconoce también las necesidades de otros al tomar sus decisiones morales.

3. Etapa de relaciones mutuas interpersonales. En esta etapa, la persona siente que está actuando correctamente si así le parece a los "otros significativos" en su vida. Esta etapa no necesariamente se restringe a los adolescentes cuyas acciones se determinan por la moda.

4. Etapa de un sistema social y una conciencia. Esta etapa extiende la tercera, para incluir no solamente los valores de "otros significativos", sino también los valores de la sociedad entera.

5. Etapa de contrastes sociales y derechos individuales. Esta etapa de moralidad respeta las reglas de la sociedad por el bien de la mayoría.

6. Etapa de principios éticos universales. Esta etapa representa un compromiso con los principios éticos. Pocas personas, según Kohlberg, alcanzan esta etapa de desarrollo moral; solamente personas de la estatura de Ghandi o de Martin Luther King.

Erickson. Las etapas de vida sugeridas por Eric Erickson son quizá las más conocidas. Sus etapas se describen, con sus significancias sugeridas, por contraste con las ideas presentadas por Erickson. Hay tensión dinámica entre los dos conceptos de cada etapa.

1. Confianza básica vs. desconfianza básica (0-1 1/2 años). Cuando hay más confianza la tensión resulta en esperanza.
2. Autonomía vs. vergüenza y duda (2-3 años). Cuando hay más autonomía, la tensión resulta en voluntad.
3. Iniciativa vs. culpabilidad (3-6 años). Cuando hay más iniciativa, la tensión resulta en propósito.
4. Industria vs. inferioridad (7-12 años). Cuando hay más industria, la tensión resulta en competencia.
5. Identidad vs. confusión de papel (13-21 años). Cuando hay más identidad, la tensión resulta en fidelidad.
6. Intimidad vs. aislamiento (21-35 años). Cuando hay más intimidad, la tensión resulta en amor.
7. Generatividad vs. estancamiento (35-60 años). Cuando hay más generatividad, la tensión resulta en interés.
8. Integridad vs. desesperanza (60-). Cuando hay más integridad, la tensión resulta en sabiduría.

Hay otros sistemas parecidos, pero con estos tres tenemos la idea de cómo piensan los teorizantes en cuanto al desarrollo humano. Con estos tres ejemplos tenemos una base para determinar algunas implicaciones educacionales.

Implicaciones educacionales

Al leer las ideas principales de estas teorías, no es muy difícil capturar su sentido y aun nos trae a la mente el cuadro de personas que conocemos, a quienes pondríamos en una etapa u otra. Mientras que es peligroso estereotipar a todos según su edad, forzándoles al molde de cierta etapa, es útil para el educador tener conocimiento de las posibles etapas del desarrollo humano y cuáles personas *generalmente* se hallarían dentro de una etapa dada.

Las etapas sugeridas por Piaget, en cuanto al desarrollo del niño, ayudan al educador a entender porqué un niño responde como responde a sus compañeros de clase, y porqué algunos métodos de enseñanza le sirven mientras que otros no. Le ayudan a entender que sería fútil introducirle al niño muy pequeño conceptos muy difíciles que todavía no puede captar y entender. Le ayudan a saber, quizá, cómo disciplinar al niño positivamente, entendiendo que su egoísmo u otro comportamiento "malo" es una manifestación de su etapa de desarrollo.

Muchos maestros se desesperan rápidamente porque no entienden que pueden haber ciertas acciones o actitudes de sus alumnos pequeños, que a pesar de parecer malas, pueden ser normales como parte del desarrollo físico, emocional y social del niño.

Las ideas de teorizantes, como Kohlberg, también pueden ser de utilidad para el educador. Estas teorías del desarrollo moral, combinadas con lógica y sentido común, nos recuerdan que la enseñanza de principios éticos y morales no se hace de un día para otro. Un niño no va a poder desarrollar un sistema completo de valores personales a pesar de los múltiples sermones que le apliquen sus padres y profesores. A la vez no se puede despreciar la importancia de moldear continuamente al niño con valores correctos, haciendo de él una persona de buena conducta y de integridad.

Un entendimiento de la tercera etapa propuesta por Kohlberg ahorraría muchas horas de angustia y falta de comunicación entre los padres y los maestros, y los adolescentes con quienes tienen relaciones. La identificación con los compañeros es un anhelo normal en el desarrollo del adolescente. El padre o maestro sabio se dará cuenta de eso, sin dejar de lado la importantísima función de enseñarle al adolescente que a veces los compañeros tienen ideas equivocadas, moral y éticamente.

Las teorías clásicas, delineadas por Erickson, también son de utilidad. Las virtudes que menciona Erickson —esperanza, voluntad, propósito, competencia, fidelidad, amor, interés, sabiduría —son conceptos dignos de enseñarse en cualquier ambiente educacional. El maestro atento a la presencia de cualidades negativas en las tensiones dinámicas en las etapas de desarrollo sugeridas por Erickson, podrá tomar pasos en su metodología o en el contenido de sus lecciones que refuercen las cualidades positivas.

Implicaciones para la iglesia local

Todas las implicaciones sugeridas como educacionales tienen valor para el programa educativo en la iglesia local. No es necesario que los maestros en su escuela dominical sean psicólogos y que conozcan a fondo estas teorías y otras semejantes. Pero sí, la enseñanza dominical sería más eficaz si los maestros tuvieran un entendimiento básico del desarrollo psicológico de la persona. Unas explicaciones breves y sencillas de la psicología del niño, por ejemplo, podrían sensibilizar a los maestros de los preescolares para que la clase dominical se destraumatice.

Un entendimiento de las etapas del desarrollo humano, nos ayuda a entender en la iglesia porqué algunos niños de edad escolar pueden entender los conceptos de pecado, arrepentimiento y salvación, mientras otros no. Esto nos advierte que hay que tener cuidado con presionar a los niños a comprometerse con un concepto que no entienden todavía. Algunos ni tendrán un concepto de compromiso, mucho menos de pecado y salvación. A la vez, un conocimiento psicológico nos ayuda a entender que debe dejarse abierta la puerta para los niños que ya están en una etapa de desarrollo en la cual pueden entender estos conceptos.

Además, un entendimiento de estos principios psicológicos nos ayuda, como líderes en la iglesia, a reconocer la existencia de aislamiento, de estancamiento y de desesperanza dentro de la membresía. Algunos de nuestros miembros necesitarán actividades, instrucción y estímulos para combatir estos males y poder realizar el gozo de su salvación en Cristo.

Se podría prolongar esta discusión, pero no se cree necesario. Lo que queremos entender es que la psicología puede ser útil para la iglesia. De cierto, hay muchos aspectos de la psicología que no nos interesan, pero si la tomamos como un instrumento que podemos utilizar, sin permitir que nos use a nosotros, será una herramienta efectiva para ayudarnos a proveer un programa de educación eficaz en la iglesia.

III. LA FE COMO EXPERIENCIA PSICOLOGICA

Hay otra área de la psicología que influye mucho en la educación religiosa. Es la relación entre la fe y un desarrollo psicológico. En muchos círculos educacionales y teológicos de hoy, se está hablando de la comunidad cristiana como un pueblo o una comunidad de fe, y bien debe ser. Si así es, la iglesia debe preocuparse en enseñar fe. Pero, ¿se puede hacer eso? ¿Se puede enseñar fe, o es una cosa que se desarrolla por sí misma, después de hacer un compromiso con Dios? La cuestión teológica no nos toca en este estudio. Más bien, lo que queremos hacer en esta sección es ver la posibilidad de que la fe, en la comunidad cristiana, sea un proceso educacional y por lo tanto un proceso psicológico.

Antes de entrar en discusión acerca de la fe como una experiencia psicológica, cabe hacer algunas afirmaciones acerca de la relación entre la fe y la ciencia.

Ciencia y fe

Siempre ha habido personas, especialmente entre los intelectuales, quienes necesitan un sistema de creencia más razonable que la que pueda proporcionar la mera fe. Recordemos el movimiento de Tomás de Aquino y el Escolasticismo, y cómo trataban de ·explicar la realidad de Dios con la razón humana. Recordemos también los avances audaces de la ciencia en los siglos XVIII y XIX, que trataban de probar científicamente que Dios no era una realidad. En la psiquis humana siempre existe la posibilidad de una tensión entre una fe ciega y la necesidad de tener las cosas explicadas en forma lógica y aun científica.

Acerca de esta posible tensión, queremos decir que la teología que practicamos en la tradición evangélica nos insta a aceptar las verdades divinas por la fe. Podremos explicar lógicamente algunos aspectos de nuestra creencia, más otros no. Estos últimos no se rechazan por falta de pruebas externas.

Gray explica bien el asunto cuando afirma que "los educadores cristianos no negamos ningún resultado de la investigación psicológica cuidadosa; pero cuestionamos cualesquiera de sus conclusiones que parezcan contradecir la verdad bíblica y los principios cristianos" (Sanner y Harper, pág. 121).

De tal modo, la actitud del educador cristiano serio debe ser una de cautela, para no ser entrampado en sistemas de pensamiento que contradigan lo que enseña la Biblia. A la vez, debe tener una actitud de franqueza y disponibilidad para incorporar nuevas ideas que le puedan ayudar a desempeñar su ministerio.

Etapas de fe

En el campo de la psicología del desarrollo humano y su relación con la experiencia religiosa y con la educación religiosa, ha surgido en años recientes un nuevo concepto concerniente a la fe. James Fowler, un psicólogo cristiano norteamericano, ha desarrollado un sistema para describir el desarrollo de la fe, en términos similares a las teorías de las etapas del desarrollo humano.

Su teoría se desarrolla según investigaciones extensivas y serias. Las conclusiones resultantes forman un sistema intrincado y complejo que pretende describir el sistema de fe en uno, sea la fe religiosa u otra. No es parte del propósito de este capítulo describir los detalles de su obra, y efectivamente nos demoraríamos mucho en hacer justicia a la discusión. Sin embargo, es la opinión de este autor que todo estudiante del proceso de la educación cristiana debe tener un conocimiento, aunque sea limitado, de las etapas de fe y las implicaciones de la teoría para la educación cristiana.

Fowler divide el desarrollo o la progresión de la fe en seis etapas, con una pre-etapa. A continuación aparecen las etapas con algunas explicaciones resumidas de citas de su libro *Stages of Faith* (''Etapas de fe'').

Pre-etapa. Infancia y fe indiferenciada. En esta etapa, las semillas de confianza, esperanza, amor y valor le llegan al niño tanto como le llegan las amenazas. Es en esta etapa, que estas cualidades (o las amenazas) sirven como base para todo lo que haya de venir en el desarrollo de la fe de la persona. Es decir, que la fe que se desarrolla en esta pre-etapa provee el recurso para la confianza básica que el niño tendrá en sus relaciones futuras.

Etapa I: Fe intuitiva-proyectiva. La fe de esta etapa está repleta con fantasías. El niño, como imitador en esta etapa, ''puede ser influenciado poderosamente y permanentemente por ejemplos, disposiciones, acciones y cuentos de la fe de los adultos con quienes tenga relación'' (pág. 133).

Etapa II: Fe mítica-literal. En esta etapa, ''la persona adapta por sí misma los cuentos, las creencias y las observaciones que simbolizan la pertenencia a su comunidad'' (pág. 149). En esta etapa, los niños (a veces adolescentes y adultos) son afectados tremendamente por los materiales simbólicos y dramáticos. La etapa se llama literal, porque el niño (escolar) cree todo literalmente. Se llama mítica porque el niño descubre que, con el uso del drama, historias y mitos "él puede encontrar coherencia a su experiencia" (pág. 149).

Etapa III: Fe sintética-convencional. En esta etapa, "la experiencia de la persona se extiende más allá de la familia. Varias esferas demandan atención: familia, escuela o trabajo, compañeros, sociedad de la calle, medio y quizá religión. La fe debe proveer una orientación coherente en medio de ese alcance más complejo y diverso de compromisos. La fe debe sintetizar valores e información; debe proveer una base para identidad y perspectiva" (pág. 172). Esta es una etapa de conformidad y muchas personas se quedan aquí.

Etapa IV: Fe individualista-reflexiva. Esta etapa es crítica, porque es aquí que el "adolescente o el adulto debe comenzar a tomar en serio el peso de responsabilidad para sus compromisos, estilo de vida, creencias y actitudes" (pág. 182). La persona se encontrará en esta etapa viviendo en medio de tensiones: individualidad vs. membresía en un grupo; subjetividad vs. objetividad y reflexión crítica; auto-actualización vs. servicio a otros; relatividad vs. absolutividad. La fuerza de esta etapa está en "su capacidad para la reflexión crítica sobre identidad (ego) y perspectiva (ideología)."

Etapa V: Fe conjuntiva. Fowler admite dificultad en describir o definir la quinta etapa del desarrollo de la fe. Es una etapa muy compleja en que la persona, generalmente de edad media, se encuentra incorporando dentro de sí y de su perspectiva cosas que había suprimido o que no había reconocido antes, debido a su deseo de vivir con auto-certeza y realidad. El individuo se encuentra rehaciendo su vida pasada, reflexionando y criticando los mitos, prejuicios e ideales que antes formaban parte de su sistema de valores personales.

Etapa VI : Fe universal. Es muy raro, según Fowler, que uno llegue a esta última etapa. La persona que llega es una "encarnación" disciplinada de los "imperativos de amor absoluto y justicia absoluta" (pág. 200). Es significativa la descripción gráfica que Fowler da de estas personas raras: por su entendimiento superior, sacuden las estructuras sobre las cuales construimos nuestra seguridad. "Muchas personas en esta etapa mueven a menos de los que esperan cambiar. Las personas raras, descritas por esta etapa, tienen una gracia especial que las hace parecer más lúcidas, más sencillas, y a la vez más completamente humanas que el resto de nosotros" (pág. 201).

Es cierto que estas ideas son muy complejas y no se espera que el lector entienda la significación profunda de la obra de Fowler con este examen apurado de su teoría. Debe ser obvio que hay relaciones entre esta teoría y las anteriores que examinamos. Pero una diferencia significativa es que, desde una perspectiva cristiana, las etapas de vida que sugiere Fowler son etapas, no solamente en la vida psicológica del individuo, sino también en su vida religiosa.

Es precisamente allí que todo esto comienza a tomar sentido para el educador cristiano. Nosotros, que somos llamados de Dios para enseñar a su pueblo, tenemos la responsabilidad tremenda de nutrir a la comunidad de fe, y todos en la comunidad no están en el mismo nivel de desarrollo espiritual. Las implicaciones para nosotros son múltiples e importantísimas.

Es importante que el educador cristiano no haga uso de las ideas de Fowler con ingenuidad. Pero si tomamos sus ideas seriamente, nos pueden ayudar a entender algo de los peregrinajes de los participantes en nuestro programa educacional. Debemos recordar que "la tarea del educador es mucho más que enseñar el 'contenido' de la tradición de la fe. Nuestra tarea es nutrir a la gente, con la ayuda de la gracia de Dios, en su habilidad de *estar* en fe. Ser y hacerse una persona en la fe cristiana es un proceso de formación y maduración" (Groome, pág. 66). Nuestra responsabilidad como educadores cristianos es proveer el conocimiento y el ambiente necesarios para una buena formación. Es importante que usemos la información que está a nuestro alcance para que nos ayude a cumplir la tarea más eficazmente.

Preguntas para el repaso

Después de leer el texto, responda a la siguientes preguntas:

1. Defina, en sus propias palabras: a. Psicología; b. Psicología educacional.
2. Cuando se dice que la psicología es una ciencia precisa, ¿a qué se refiere?
3. ¿Qué tiene que ver la psicología con la educación?
4. Mencione tres subcampos de la psicología educacional.
5. ¿Quién desarrolló la teoría del conductismo?
6. A veces el conductismo se llama la teoría de E-R (estímulo-respuesta). ¿Por qué es una designación apropiada?
7. Contraste las teorías del cognoscitivismo y humanismo.
8. ¿Con qué aspecto del proceso de enseñanza-aprendizaje tienen que ver las teorías de instrucción?
9. Al pensar en las teorías de instrucción, ¿cuál sería el propósito de una instrucción cognoscitiva? ¿Y de una instrucción afectiva? ¿Y de una instrucción psicomotriz?
10. ¿Qué significado tiene el nombre de Abraham Maslow para este estudio?
11. Las teorías de motivación generalmente plantean cuatro preguntas. ¿Cuáles son?
12. ¿Qué es el hedonismo? ¿Qué tendría que ver la motivación en la iglesia?
13. En su opinión, ¿cuál es la relación más obvia entre la psicología y la educación?
14. Discuta varias maneras en las cuales los conocimientos psicológicos pueden ayudar al educador cristiano evangélico en su tarea en la iglesia local.
15. ¿Cuál sería una posible relación entre las teorías de aprendizaje y la homilética?
16. Describa la relación entre el Espíritu Santo, el educador cristiano y la psicología educacional.
17. Haga un bosquejo de las ideas principales de la teoría de Piaget.
18. Mencione las ocho etapas de vida, según Erickson.
19. En su opinión, ¿la tercera etapa del desarrollo moral de Kohlberg nos indica algo en cuanto a la educación juvenil en la iglesia? ¿Qué?

20. Evalúe la membresía de las clases (o departamentos) de la escuela dominical donde usted sirve, según las etapas de desarrollo de Erickson. (Por ejemplo: entre los adultos de 21 a 35 años, ¿hay más intimidad o más aislamiento? ¿Qué se debe hacer al respecto?)
21. Evalúe el concepto de la iglesia como una comunidad de fe.
22. ¿En qué sentido enseña fe la iglesia?
23. ¿Cuál es su opinión personal acerca de la importancia de la teoría de las etapas de fe, con lo poco que ha leído?
24. ¿En qué sentido es el desarrollo de la fe un proceso psicológico?
25. Analice la declaración: "La tarea del educador es mucho más que enseñar el 'contenido' de la tradición de la fe. Nuestra tarea es nutrir a la gente, con la ayuda de la gracia de Dios, en su habilidad de *estar* en fe."

Temas de discusión

1. Considere la jerarquía de necesidades presentada por Maslow. Si bien éstas son necesidades de todas las personas, ¿cuáles de ellas puede la iglesia ayudar a satisfacer? ¿Cómo?
2. Haga una comparación y contraste entre las teorías de Piaget, Kohlberg, Erickson y Fowler. Quizá lo podría hacer con un gráfico.
3. Prepare un documento de 3-5 páginas que consista en una conversación imaginaria entre Kohlberg, Erickson, Fowler y usted, hablando del desarrollo del ser humano.
4. En la clase o seminario, trate de entender (en forma general) las etapas de fe y discuta su significación para la iglesia y para la educación cristiana.

Cuarta parte

BASES TEOLOGICAS
PARA LA EDUCACION CRISTIANA

Capítulo 11

EL PATRON BIBLICO EN EL DIA DE HOY

Introducción

En esta unidad queremos entender la relación entre los conceptos teológicos que gobiernan la vida de la iglesia y la función educacional dentro de aquella vida eclesiástica. Después, en el capítulo 12, contemplaremos una filosofía educacional que este autor cree adecuada para la iglesia cuando toma en cuenta su base teológica.

En este capítulo, queremos pensar específicamente en una teología de la educación cristiana. No es *la* teología de la educación cristiana la que vamos a estudiar. Posiblemente no existe tal cosa. Más bien, es *una* teología o quizá unos pensamientos hacia una teología de la educación cristiana.

La palabra teología se usa de muchas maneras. Se dice que en un seminario, instituto o centro de extensión se enseña y se aprende teología. Se habla de teología sistemática y teología bíblica. En algunos ambientes se está hablando mucho de una teología de liberación. El título de esta parte habla de bases teológicas y el capítulo pretende hablar sobre una perspectiva teológica.

¿Qué es teología? ¿Es un campo de estudio religioso? ¿Es un dominio educacional para religiosos intelectuales? ¿Es un curso de una institución teológica? El teólogo bautista Fisher Humphreys quizá sea el que haya expresado más sencilla y correctamente lo que es la teología. El título de una de sus obras, *Thinking About God* ("Pensando acerca de Dios"), es su definición de teología. No es tanto que estudiamos teología, ni que aprendemos teología, ni que leemos obras teológicas, sino que *hacemos* teología. Pensamos acerca de Dios y, al hacerlo, hacemos teología. Así que, cada persona tiene su propia teología (con muchas influencias externas, por supuesto), porque cada uno tiene sus propios pensamientos acerca de Dios.

Pues, ¿qué tienen que ver estas asunciones con la educación cristiana? Si el propósito de la educación cristiana es nutrir, edificar, conservar y disciplinar a la comunidad cristiana bajo Dios, lo que pensemos acerca de Dios tiene que ver con lo que enseñamos en la iglesia.

Es importante que el educador cristiano tenga una teología de la educación cristiana; es decir, unos pensamientos acerca de Dios que le indiquen cómo *hacer* la educación cristiana. Mientras *hace* su teología, también *hace* su educación cristiana, y no debe haber una lucha entre las dos cosas. En este capítulo vamos a explorar algunas posibilidades que nos lleven hacia una teología de la educación cristiana. Para hacerlo, vamos a estudiar algunos pasajes bíblicos (no como textos de prueba) que hablan de instrucción espiritual, los que nos ayudarán a pensar más claramente en cómo Dios quiere que hagamos la educación teológica. Después, sugeriremos algunas implicaciones para la función educacional de la iglesia.

I. PASAJES BIBLICOS CLAVE

Hay muchos pasajes que nos pueden ayudar a desarrollar una teología de la educación cristiana. Sin la intención de ser exclusivista, el autor ha escogido tres pasajes para escudriñar con cierto detalle; uno es del Antiguo Testamento, uno de los Evangelios y uno de las epístolas de Pablo.

Deuteronomio 6:4-9

A este pasaje los hebreos le dieron el nombre de *Shemá* ("escucha"), la primera palabra de su confesión de fe. Si los judíos hubieran tenido un pasaje más importante que cualquier otro en sus libros de la ley, quizá hubiera sido éste. Estas palabras les dieron el cómo trasmitir a sus hijos y a generaciones posteriores lo que Jehová había hecho por ellos. En este sentido, el *Shemá* fue la base del sistema educacional de los hebreos/judíos, el pueblo escogido de Dios.

El mandamiento o la instrucción dada aquí a los hebreos para pasar los preceptos de Dios a sus hijos, les llegó en una época crucial en la historia del pueblo de Israel. Moisés, el líder de los hebreos durante aquella época, el que recibía revelaciones y palabras directamente de Jehová, el que conoció a Jehová personalmente en una zarza ardiente y quien recibió los mandamientos de Dios para su pueblo en contacto casi directo con Dios, ese mismo Moisés había sido el carácter principal en las narraciones que encontramos en Exodo, Levítico y Números; pero al final del libro de Deuteronomio, Moisés moriría. El pueblo entonces necesitaría una manera de no olvidar lo que había pasado en su historia sagrada. El pueblo iba a necesitar una manera de trasmitir su fe, de trasmitir la Palabra de Dios, los mandamientos, las leyes y los principios a sus hijos, para que todo aquello transformara sus vidas.

Fueron palabras dadas a Israel, el pueblo de Dios. En ellas encontramos principios y guías para la educación cristiana, la función educacional del nuevo pueblo de Dios, la iglesia. Encontramos en el *Shemá* una prefiguración de la metodología de Jesús en su trato con las personas y su compromiso con el Padre para transformar las vidas de aquellos que le siguieran.

Larry Richards, en *A Theology of Christian Education* ("Una teología de la educación cristiana"), sugiere y desarrolla tres principios detrás de la enseñanza en el pueblo de Israel, como está reflejada en este pasaje, para sugerir paralelos en la educación cristiana. Aquí se identifcan los principios y en la última parte del capítulo nos fijaremos en los paralelos.

En primer lugar, los versículos 3 al 6 del pasaje nos llaman la atención a la persona del maestro. El que enseña tiene que ser uno quien tiene una relación de amor personal con Dios. Aún más, ese amor tiene que demostrarse y cumplirse con la internalización de la Palabra de Dios ("estas palabras . . . estarán sobre tu corazón").

En segundo lugar, el *Shemá* les enseñó a los israelitas que la educación religiosa se trasmite en el hogar, de padres a hijos. Es decir, que la trasmisión eficaz de la fe, de verdades divinas, es a través de un ambiente familiar, donde hay estabilidad, amor, intimidad y compartimiento variable, pero íntimo. Es un cuadro de edificación, dentro de relaciones interpersonales saludables, que el *Shemá* nos pinta.

En tercer lugar, los versículos 7-9 nos indican que la enseñanza se realiza en el contexto de la vida. ¿Recuerda la *mezuza* que mencionamos en el capítulo 2? El uso de la *mezuza* fue un cumplimiento del mandato del versículo 9. Aunque los israelitas tomaban literalmente estos mandatos, ¿cuál fue su significado? Es que en la vida de uno debe haber evidencia de la existencia de la ley en su corazón y que se debe utilizar cualquier oportunidad que se presente para enseñar las verdades de Dios.

En resumen, el *Shemá* enseña que la instrucción del pueblo de Dios en las verdades de Dios se hace en tres maneras principales: con un modelo, con relaciones interpersonales y dentro del contexto de la vida.

Lucas 6:40

Tradicionalmente este versículo ha causado dificultad a los intérpretes (véase una explicación en Barclay), porque parece aislado del contexto según algunos eruditos. Sin embargo, Leon Morris, en su comentario en la serie Tyndale, ha propuesto un sentido contextual aceptable.

En su versión del Sermón de la llanura (del monte en Mateo), Lucas da a sus oyentes principios para un sistema de valores que es radicalmente diferente de los valores del mundo. Empieza Lucas con las bienaventuranzas en el versículo 20, y sigue describiendo la vida del hombre del reino, en una manera semejante a la de Mateo. Morris sugiere que, empezando con el versículo 38, Jesús está hablando de la responsabilidad que tiene un discípulo de hacer más discípulos. Con tal responsabilidad, es de suma importancia que uno viva correctamente, según valores elevados. Para hacer hincapié en vivir correctamente, Jesús hace uso de tres metáforas: el ciego que no guía a otro ciego, el discípulo que no es mayor que su maestro y el contraste entre la paja y la viga.

El objetivo de un discípulo en el tiempo del ministerio terrenal de Jesús fue *ser como su maestro*. La palabra "perfeccionado", en el griego, significa remendar algo que está quebrado o roto, como redes, o animales u hombres. Aquí tenemos, pues, el cuadro de un proceso de remendar un hombre quebrantado, es decir, de hacer desarrollar y madurar a uno quien ha sido una mera criatura de Dios, para que llegue a ser un verdadero hijo de Dios, viviendo según los principios que Jesús puso como características del hombre del reino. Tal maduración se realiza mientras que uno sigue y aprende de su maestro, quien debe estar ya viviendo en una manera que manifiesta las características de un hombre del reino de Dios.

De este modo, el versículo 40 debe sacudir nuestro entendimiento obtuso de la función educacional de la iglesia. En la teología personal del autor existe la firme convicción de que en este versículo Dios quiere decirnos algo muy importante en cuanto a cómo su pueblo ha de ser educado. Es un entendimiento que puede ser revolucionario para nuestros complacientes programas de educación. El pasaje nos enseña estas tres cosas, que nos ayudan en nuestra búsqueda de una teología de la educación:

1. El que sigue a Cristo debe tener el objetivo de ser como Cristo.

2. Los seres humanos, a quienes Dios ha dado la responsabilidad de guiar, instruir y discipular a otros, deben ser imitadores de Cristo, con valores elevados y con madurez espiritual, porque el discípulo o alumno tiene el objetivo de ser como su maestro.

3. La idea de que el propósito de la educación del pueblo de Dios es presentar datos e información cognoscitiva acerca de Dios, es un concepto incompleto e inadecuado desde el punto de vista bíblico.

Las tres ideas se pueden resumir notando dos palabras del versículo 40: "será como." No dice: "sabrá lo que su maestro sabe", sino "será como su maestro." ¡Qué responsabilidad para aquel que Dios ponga como maestro delante de su pueblo! Diremos más de esto en la última parte.

Efesios 4:12

Este versículo se encuentra en el contexto de una de las discusiones de Pablo acerca de la diversificación de dones dentro del cuerpo de Cristo, que trae unificación al cuerpo. Después de mencionar algunos oficios o dones en la iglesia, Pablo dice que el propósito de la existencia de tales oficios es "perfeccionar a los santos *para* la obra del ministerio, *para* la edificación del cuerpo de Cristo. . . " Es decir, las responsabilidades de los que instruyen en la iglesia al pueblo de Dios a través de la predicación, la interpretación de la voluntad de Dios, el cuidado pastoral y la enseñanza espiritual es parte de un proceso evolutivo para madurar al pueblo.

La palabra "perfeccionar" tiene la misma raíz aquí que la palabra para "remendar" que vimos en Lucas 6:40. Parece, pues, que Pablo está implicando a la iglesia en Efeso que el propósito de estos dones y la responsabilidad de estas personas es guiar al pueblo de Dios en un proceso de preparación para utilidad en el ministerio (servicio) de la iglesia, para que la iglesia sea edificada, reforzada, madurada.

Hay dos cosas interesantes que queremos ver en este pasaje. Una es que parece que Pablo está hablando de una edificación del cuerpo, adentro del cuerpo, como un desenvolvimiento *interno,* a través del cual la iglesia se madura. La otra cosa es que en el contexto de este pasaje encontramos la organización de la iglesia primitiva, que incluye oficios diferentes para responsabilidades diferentes, cada uno de los cuales edifica a la iglesia. Tal organización nos da a entender que Dios aprueba, si no es que manda, un sistema organizado y ordenado, según las indicaciones del Espíritu Santo, para llevar a cabo la instrucción de su pueblo. Veremos luego algunas consecuencias de tal pensamiento en nuestra teología de la educación.

II. IMPLICACIONES PARA LA IGLESIA

De estos pasajes, extraemos algunos pensamientos que nos ayudan a empezar a formar una teología de la educación cristiana. Hay que tener en mente que una teología basada en solamente tres pasajes bíblicos será parcial, pero suficiente como base para desarrollarse más. Una teología de la educación no debe ser estancada, sino siempre dinámica, en búsqueda de nuevas maneras de expresarse. De la discusión en la primera parte del capítulo, se distinguen cuando menos cinco implicaciones para la función educacional de la iglesia. Las analizaremos bajo los siguientes temas: modelo, relaciones interpersonales, contextualización, discipulado y organización.

Modelo

Como vimos en nuestro estudio del *Shemá*, Dios quiere que un padre sea un buen modelo para su hijo. De igual manera, alguien mayor en la fe debe ser un buen modelo para los menores en la fe. Si la iglesia ha de crecer, debe tener la Palabra en su corazón y debe *vivir* la Palabra.

La educación en la iglesia se realiza en por lo menos dos niveles a la vez —la educación formal, a través de la escuela dominical, las sociedades misioneras, los estudios bíblicos, etc., y la educación informal, que se realiza cada vez que nos reunimos en el templo o que nos encontramos en la calle. Cuando una persona nueva llega a conocer a Cristo y asiste a los cultos, y se bautiza para formar parte de la familia cristiana, ¿cómo aprende qué creer, cómo actuar, cómo vivir, cómo adorar? En la educación formal, sí, pero aún más que eso, él aprende de los demás creyentes con quienes tiene contacto. Los demás cristianos, ya más maduros que él (teóricamente) le sirven como modelos. ¿Qué tremenda responsabilidad, verdad?

Una paráfrasis de una afirmación por Richards, llama la atención a esta responsabilidad: en la educación enseñamos lo que sabemos, pero en la educación cristiana enseñamos lo que somos. Cada educador cristiano, cada pastor, en efecto, cada cristiano debe examinar su vida para preguntarse: ¿Quiero yo, *tal como soy*, ser el modelo para los que mi iglesia espera ganar para Cristo? O, ¿puedo yo, *tal como soy*, ser un ejemplo digno para mi congregación o mi clase?

El proceso de enseñanza que empleaba Jesús, se basaba en su concepto de ser modelo para sus discípulos. Jesús disciplinaba a sus seguidores, enseñándoles con su propia vida. Les dijo: "Porque ejemplo os he dado, para que como yo os he hecho, vosotros también hagáis" (Jn. 13:15).

Relaciones interpersonales

El cuadro de la enseñanza entre padres e hijos, en el *Shemá*, es uno de estabilidad, amor e intimidad. Este ambiente familiar se debe encontrar en la iglesia mientras desarrolla su función educacional. Se debe fomentar, animar y apoyar la educación cristiana hogareña y a la vez procurar proveer, con la ayuda del Espíritu Santo, un ambiente familiar dentro de las actividades educacionales de la iglesia. Una educación cualquiera quizá pueda ser eficaz sin amor, pero la educación cristiana no.

En forma directa, Dios nos indica, a través del *Shemá,* que los padres tienen una responsabilidad para enseñar a sus hijos en los preceptos de Dios. La educación familiar no es una rama de la educación espiritual aparte de la iglesia. Es, más bien, una parte integral de la función educacional de la iglesia, porque si no hay una relación de amor que edifica en el hogar de una familia cristiana, los efectos penetrarán en toda la vida de la iglesia. El culto familiar o devocional familiar puede afectar profundamente el nivel espiritual de la iglesia.

Los que ocupan lugares específicos de responsabilidad en la educación formal de la iglesia deben conocer a sus alumnos, para que exista un ambiente familiar en su clase. Deben visitarlos en sus hogares, llamarlos por nombre, orar por ellos, conocer a sus familiares y las circunstancias de su vida diaria para que estos conocimientos les ayuden a fomentar un ambiente familiar en su clase dominical.

Jesús tuvo éxito en su ministerio porque tenía una relación íntima con sus discípulos. Andaba con ellos, comía con ellos, oraba con ellos, predicaba con ellos, lloraba con ellos, se gozaba con ellos, y hablaba del futuro con ellos. Es difícil imaginar que los discípulos no sintieran una hermandad, un ambiente familiar en sus relaciones interpersonales, con Jesús como maestro.

Contextualización

Los judíos tomaban literalmente los mandatos del *Shemá.* Llevaban las palabras de Deuteronomio 6: 5 en filacterias en sus brazos y en sus frentes. El uso de la *mezuza* también fue una manifestación literal de la obediencia del mandato. La curiosidad de los niños al ver diariamente el rito relacionado con la *mezuza* presentaba la oportunidad perfecta para que los padres enseñaran la ley de Dios a sus hijos.

La significación de estos actos debe ser tan real para la iglesia como la interpretación literal que le dieron los judíos. Debe haber una evidencia de la existencia de las verdades espirituales y la bondad de Dios en la iglesia, que penetre en todas las fases de la vida de ella. La iglesia tiene la función de enseñar la Palabra, pero esa enseñanza no es una cosa aislada de la vida. No es algo que se restringe a una aula en la parte posterior del templo durante una hora cada domingo. Es una parte integral de la vida y debe penetrar cada fase de la vida de la iglesia. Además, el uso de la palabra "iglesia" no se refiere a una vida institucional, hecha de una programación ministerial y educacional. Más bien, se refiere a lo que la iglesia, nosotros, el pueblo de Dios, el cuerpo de Cristo, hacemos en el templo, y también a lo que la iglesia, nosotros, el pueblo de Dios, el cuerpo de Cristo, hacemos fuera del templo. La iglesia debe aprovechar las oportunidades que le son disponibles en el contexto de la vida de la iglesia (en todos sus sentidos), para enseñar las verdades de Dios.

Discipulado

La palabra "discipulado" se ha hecho parte del vocabulario de muchas iglesias evangélicas en América Latina en los años recientes, debido especialmente a obras como *Sígueme,* por Ralph Neighbour, y otras. Es una palabra muy importante, por la sencilla y obvia razón de que representa un concepto inevitable para la iglesia que ha de encontrar la manera más bíblica para reproducirse educacional y evangelísticamente.

El pasaje representativo que estudiamos anteriormente (Lc. 6:40) nos enseña que el principio detrás del concepto de discipulado es que el seguidor (o el alumno), llega a ser como el líder (o el maestro). Es vital para nuestra teología de la educación cristiana que entendamos este principio en su sentido doble. Por un lado, si el alumno ha de hacerse como su maestro, debe tener la oportunidad de conocer a su maestro en relaciones interpersonales íntimas dentro del contexto de la comunidad de fe y la extensión de ésta al mundo. La iglesia tendrá que fomentar circunstancias, un ambiente y una motivación para incentivar al alumno en su peregrinaje de hacerse como su maestro. Por supuesto, todos tenemos el anhelo de ser como el Maestro, Jesucristo. Pero, en Lucas 6:40, Jesús está hablando de maestros aquí en la tierra. Cuando Pablo discipulaba a Timoteo, *Pablo mismo,* mientras que él siguiera a Cristo, dio a Timoteo el ejemplo para su formación en la fe y en el ministerio. Constantemente Pablo tenía que exhortar, que motivar, a Timoteo para que éste le escuchara y aprendiera de su ejemplo.

Tal lucha continua de parte del alumno indica, como consecuencia natural, el otro sentido del principio del discipulado. Es que el maestro debe ser un ejemplo digno de seguir. Nuestra teología de la educación cristiana debe incluir el entendimiento de que, si regresamos a la Biblia para los preceptos en qué basar nuestra enseñanza, vamos a descubrir que el maestro cristiano lleva la responsabilidad de enseñar a los alumnos a seguir su propio ejemplo como cristiano. "Mucha de la educación concierne a ayudar a la gente a saber lo que sus maestros saben. La educación cristiana concierne a ayudar a la gente a ser lo que sus maestros son" (Richards, pág. 30).

Si nuestro propósito en la iglesia, como educadores cristianos, ya sea como pastores, maestros u otros, es enseñar que las personas sean como somos nosotros, ¡qué gran medida para nuestro propio camino con el Señor! La iglesia en la cual se toma en serio este principio, como parte de su teología de la educación, estará llegando a una profundidad en sus intercambios instructivos que se aproxima al patrón que Jesús dejó para la iglesia. Es un patrón de santidad en el que aquel que sirve como maestro, comparte santidad con otros en la comunidad de fe, a través del intercambio de ideas, conocimientos y entendimientos, los cuales él ha ganado por la experiencia de vivir en la Palabra, y en vivir la Palabra. La iglesia que cumple su función educacional en esa manera, sobrepasa la mentalidad de que la educación se haga solamente los domingos por la mañana.

Organización

Hay cristianos evangélicos que creen que un programa de educación organizado está de más. Pero si una teología de la educación cristiana no incluyera la necesidad de una organización o sistematización, se tendrían que suprimir algunos pasajes bíblicos, como Efesios 4:12, por ejemplo.

Por la experiencia, sabemos que cuando una cosa es organizada, generalmente hay más probabilidad de que tenga éxito. Es la verdad en el mundo comercial, es una regla pedagógica, y aún Dios proveyó un sistema organizado para la función de la iglesia.

Si la organización es bíblica, no hay que luchar contra ella. Se la debe utilizar como otro medio que haga más fácil y eficiente el cumplimiento de la función educacional de la iglesia. La organización en ninguna manera desplaza a la obra del Espíritu Santo en cambiar las actitudes e influir en los pensamientos de los hombres. Más bien, el Espíritu Santo nos toca con más facilidad cuando todo está en orden y no tenemos mentes y espíritus tan distraídos por el desorden que tanto prevalece en nuestra vida. Dejemos que la organización juegue su papel en la instrucción del pueblo de Dios, y dejemos que el mismo Espíritu Santo use la organización como un vehículo a través del cual nos enseñe.

Preguntas para el repaso

Después de leer el texto, responda a las siguientes preguntas:

1. ¿Por qué no se debe usar la frase "*la* teología de la educación cristiana?
2. Mencione varias maneras en que se usa la palabra "teología."
3. Según su propio entendimiento, evalúe la definición de teología según Humphreys.
4. ¿Cómo es que *hacemos* teología?
5. ¿Cuál es su definición de "teología de la educación cristiana?
6. ¿En qué sentido fue el *Shemá* la base del sistema educacional de los hebreos/judíos?
7. ¿Cuál fue el contexto histórico de la recepción del *Shemá?*
8. ¿Está usted de acuerdo con la declaración: "Encontramos en el *Shemá* una prefiguración de la metodología de Jesús. . . ? Explique su respuesta.
9. Mencione tres principios educacionales que se encuentran en el *Shemá,* según Richards.
10. ¿Qué significaban, internamente, las señales externas del uso de la *mezuza* y las filacterias?
11. ¿A qué se refiere "la internalización de la Palabra de Dios"?

12. ¿Cuáles características hacen del hogar un buen ambiente para trasmitir verdades espirituales?
13. ¿Qué tenía que ver la *mezuza* con el *Shemá?*
14. Describa al hombre del reino de Dios, según Lucas 6:38-41 e indique la relación entre la descripción del hombre del reino y la enseñanza cristiana.
15. ¿Cuáles son las tres conclusiones principales que se sacan de Lucas 6:40, en cuanto a una teología de la educación cristiana?
16. ¿En qué sentido es evolutiva la enseñanza espiritual, según Efesios 4:12?
17. ¿Cuáles son las cinco áreas de implicaciones teológicas para la educación cristiana que se analizan en este capítulo?
18. ¿Qué significa "debe *vivir* la Palabra"?
19. ¿Cómo aprende un nuevo creyente las prácticas de la iglesia?
20. ¿Cómo afecta al nivel espiritual de la iglesia el culto familiar?
21. Mencione tres cosas que está haciendo su iglesia para fomentar un ambiente familiar en su programa educacional.
22. ¿Qué significa la palabra "contextualización"? ¿Qué tiene que ver con la educación cristiana?
23. ¿Cómo contextualizaban los hebreos/judíos sus enseñanzas espirituales?
24. ¿Cuál es el sentido doble del principio del discipulado?
25. ¿Cuál es su opinión en cuanto a la necesidad de organización en el programa educacional de la iglesia?

Temas de discusión

1. Usando una concordancia bíblica y comentarios, haga un estudio de las siguientes palabras en su uso bíblico:

aprender	discipulado	entender
enseñar	discipular	maestro
instruir	conocer	alumno

2. Haga un estudio más amplio que el que se encuentra en este capítulo de los tres pasajes citados. Use comentarios y otras ayudas. Determine si el escritor del libro ha interpre-

tado corretamente los pasajes, según su propio entendimiento. ¿En cuáles áreas podrían estos pasajes hacer más clara su búsqueda de una teología de la educación cristiana?

3. En base al capítulo, a sus propias ideas, al estudio de las palabras arriba sugeridas, y a un estudio más profundo de pasajes clave, ¿cuáles serían los puntos principales en un bosquejo de *su* teología de la educación cristiana?

4. Evalúe su propia vida para determinar si hay cosas en ella que no deben existir en la vida de un modelo. ¿Qué podría hacer para efectuar algunos cambios necesarios?

Capítulo 12

UNA FILOSOFIA APROPIADA PARA LA IGLESIA

Introducción

Quizá uno preguntaría: ¿por qué es necesaria una filosofía de la educación cristiana cuando ya tenemos una teología? Hemos visto que teología es pensar acerca de Dios. Filosofía es "amor de la sabiduría." El educador, pues, necesita desarrollar una filosofía personal de la educación, es decir, una manera sabia que le guíe a poner en práctica sus conocimientos acerca de la educación. Si es un educador cristiano, esta filosofía personal será influida por lo que él piensa acerca de Dios.

Algunos educadores no entienden la relevancia del estudio de la filosofía para la obra cristiana. Piensan que la filosofía no es práctica, que es abstracta, o que es un estudio demasiado intelectual. Pero, un estudio relativamente profundo de las filosofías clásicas le ayuda a uno a extender los horizontes de su entendimiento del mundo y lo que significa la vida. El estudio de la filosofía de la educación pinta el cuadro de lo que es la educación, de cómo la educación nos afecta y de cómo hacemos la educación.

En este capítulo, no es el propósito hacer un estudio profundo de la filosofía educacional. Tal estudio demoraría mucho tiempo y tendría que ser un estudio selectivo porque el campo es bastante amplio. Más bien, queremos ver, a vuelo de pájaro, algunas filosofías educacionales clásicas, para tener un entendimiento, aunque sea superficial, de lo que algunos educadores a través de los siglos han pensado de la educación y su función. Para que este estudio sencillo no sea un mero ejercicio académico, hablaremos de algunas implicaciones de cada filosofía para el ministerio educacional de la iglesia. Después, con el trasfondo de este estudio, y en relación a la teología que empezamos en el capítulo anterior, vamos a sugerir una filosofía educacional que quizá sea apropiada para la iglesia contemporánea.

Una de las dificultades en comenzar un estudio de la filosofía educacional, es que hay muchas maneras —métodos, esquemas, etc. —de organizar o categorizar las ideas filosóficas que pretenden explicar la educación. Si uno buscara libros de la filosofía de la educación, encontraría, quizá, un esquema de clasificación así:

Filosofías clásicas
   Idealismo
   Realismo
   Pragmatismo
Filosofías contemporáneas
   Perennialismo
   Progresivismo
   Esencialismo
   Reconstruccionismo
o quizá así:
   Idealismo
   Realismo crítico
   Teísmo dualístico
   Empirísmo lógico
   Existencialismo
   Filosofía analítica
   Experimentalismo

Otros esquemas quizá incluirían una combinación de las arriba mencionadas. Aun otros esquemas usarían otra perspectiva para describir la filosofía educacional y su cuadro de la filosofía incluiría estas categorías:
   Liberal
   Humanismo
   Progresivismo
   Radical
   Analítica

Y, hay varias categorizaciones más que se podrían mencionar. Muy confuso, ¿verdad? Esto ilustra que la filosofía de la educación es un asunto muy complejo y por las muchas teorías al respecto, no se puede considerar una ciencia exacta.

El esquema que vamos a usar en este capítulo, para tener un trasfondo de las ideas de la filosofía tradicional de la educación, es el siguiente:

Idealismo
Realismo
Neo-Tomismo
Pragmatismo
Existencialismo

Por supuesto, no vamos a poder estudiar estas categorías con profundidad, pero una mirada breve a cada una nos ayudará a entender por qué la educación se ha hecho como se ha hecho.

I. CINCO ESCUELAS FILOSOFICAS TRADICIONALES

Idealismo: Sinopsis

La filosofía educacional más antigua casi se explica por su mismo nombre —Idealismo. Es una filosofía que mantiene que la única realidad verdadera se encuentra en la esfera de las ideas. Es una filosofía sumamente teórica que no rechaza al mundo físico, pero lo considera inestable y cambiante, mientras que las ideas permanecen constantes y sin cambio.

El Idealismo afirma que detrás de cada objeto físico hay una idea. La idea es más importante y verdadera que el símbolo de su existencia, el cual vemos como un objeto físico. Platón, el originador de este concepto, pensaba que si pudiéramos juntar todas las ideas que están detrás de todos los objetos que vemos, entonces poseeríamos la realidad última y abstracta. Luego, otras filosofías analizan que si existe una realidad absoluta, entonces debe existir también una "Mente Absoluta" que se ocupa en pensar las ideas. Es por este concepto que Hegel, un idealista cristiano, sugería que "la historia es Dios, pensando."

Educacionalmente, el Idealismo se interesa en entender y asimilar ideas. La educación que promoverían los Idealistas sería una educación vaga y general, con el propósito de engrandecer nuestra visión del mundo y lo que haya en ello.

Sería una educación abstracta y académica, sin énfasis en la práctica.

El propósito del maestro en este esquema es ser un modelo para sus alumnos. Debe saber más que sus alumnos para poderles impartir los datos que sabe o las ideas que ha capturado, para ayudarles en su desarrollo como personas. El currículo es lo que le ayuda al alumno a incrementar su habilidad de pensar, generalmente lo que se considera un currículo tradicional. Los métodos de enseñanza en una educación idealista incluirían conferencias, lecturas, escritura, recitación y períodos de preguntas y respuestas.

Idealismo: Implicaciones para la educación religiosa

Esta filosofía ha influido mucho en lo que se hace en las iglesias evangélicas a nombre de la escuela dominical. Podemos mencionar algunas implicaciones positivas de este hecho. Primero, el idealista cristiano usaría la Biblia como su libro de texto, porque es lo tradicional, porque cree que contiene el reflejo de las ideas absolutas y verdaderas, y porque contiene una vasta cantidad de ciencia objetiva que el pueblo cristiano puede aprender. Segundo, Jesús, como el maestro ejemplar, es el modelo último, digno de ser imitado. Tercero, hay otros modelos en la historia de la iglesia y en la actualidad, que son dignos de ser imitados. Cuarto, muchos maestros, en la clase bíblica dominical, dan conferencias de conocimientos especiales que tienen.

Desde una perspectiva negativa, cuando esta filosofía se sigue en la iglesia, no se halla mucha motivación de parte de los alumnos, porque el maestro es el que hace todo. Además, se produce el concepto en la iglesia de que algunos cuantos tienen todos los conocimientos; un concepto que no deja lugar para aplicaciones personales del estudio de la Biblia a la vida de uno.

Realismo: Sinopsis

El Realismo es una filosofía mecánica y práctica que sostiene que la realidad, la ciencia y los valores existen independientemente de la mente humana. Si no estuviéramos aquí para presenciar la realidad, existiría la realidad de todos modos, porque lo que es físico y tangible es "real" o verdadero. Para el realista, el mundo es un mundo de "cosas." Aristóteles, el primero en postular una filosofía realista, decía que todo lo que existe se puede poner en un sistema lógico de forma y materia (mente y cuerpo), y que todas las cosas son cosas porque tienen estos dos ingredientes. La pureza de una cosa se determina de acuerdo con la proporción de la existencia de las dos, con más pureza indicada por más forma (mente).

La ciencia moderna ha modificado esta teoría, para decir que todo lo que sucede en este mundo ocurre por causa de leyes naturales que descubrimos a través de la ciencia. Por lo tanto, el realista compararía el cosmos a una máquina enorme cuyos movimientos son controlados por leyes físicas. Nuestro lugar en tal universo es el de espectador delante de la maquina. Con la inteligencia humana uno puede conocer más y más acerca de cómo funciona la máquina.

Educacionalmente, concierne al realista descubrir (literalmente des-cubrir) todo lo que es real, para entenderlo mejor. Le interesa lo que la ciencia y la razón le pueden enseñar, mientras que observa lo que es (lo que existe).

El maestro en este esquema juega el papel del demostrador, como un eslabón en la cadena entre el alumno y la naturaleza. El maestro no es tan importante como el maestro idealista. Más bien, el *contenido* es lo más importante. Mientras el maestro presenta el contenido al alumno, el maestro mantiene una posición neutral. El alumno, según el realista, necesita un sistema organizado y ordenado (como la máquina del cosmos) para que así su aprendizaje sea eficaz. Por su énfasis en la naturaleza, los cinco sentidos son importantes en el proceso de enseñanza-aprendizaje.

El currículo de la educación realista descansa en las ciencias: biología, geología, química, matemáticas, etc. Se piensa que si se aprende a través de las ciencias exactas, uno no tendría que especular sobre la significación de las cosas porque todo tendría su significado exacto. Los métodos para enseñar este currículo serían múltiples, pero siempre serían métodos que le ayuden al alumno a absorber datos e información cuantitativamente. La mente del alumno se considera como una receptora de información, la cual debe llenarse con datos. Los métodos de evaluación más comunes son los que requieren que el alumno responda a preguntas o actividades, devolviendo datos específicos al profesor que éste le ha dado durante la enseñanza.

Realismo: Implicaciones para la educación cristiana

Mencionamos cuatro implicaciones de la filosofía realista en la educación cristiana. Pueden haber muchas implicaciones más, pero éstas son las más evidentes.

Primera, esta filosofía ha creado una mentalidad entre algunos evangélicos de que lo más importante en el estudio de la Biblia es un dominio de los datos bíblicos. Es una mentalidad que fomenta el riesgo de creer que el conocimiento de datos fríos es suficiente, sin una aplicación a la vida diaria de uno.

Segunda, esta filosofía se refleja en el arreglo físico de muchas clases dominicales, en las cuales el maestro se para delante de sus alumnos, quienes se sientan en filas, mirándolo. Es un arreglo conveniente para el maestro que ve su función como la de compartir información.

Tercera, los métodos exactos y científicos han influido mucho en el entrenamiento de líderes en latinoamérica a través de la instrucción programada, que se emplea mucho en la Educación Teológica por Extensión. La filosofía realista dice que los líderes necesitan adquirir datos, específicamente. La instrucción programada, supuestamente asegura que el alumno retenga todos los datos necesarios para su función en el ministerio.

Cuarta, se puede ver la influencia de una filosofía realista en el nuevo sistema de enseñanza sugerido en el currículo integrado de la Casa Bautista de Publicaciones. El "Diálogo y Acción" representa una combinación de filosofías, pero su énfasis en llenar los espacios en blanco y hacer actividades en la hora de la clase, representan una filosofía realista.

Neo-Tomismo: Sinopsis

La filosofía neo-tomista deriva su nombre de Tomás de Aquino, a quien estudiamos en el capítulo 6. Se basa en la unión de la fe y la razón, que Tomás y el Escolasticismo promovieron en el siglo XIII. Se podría decir que, básicamente, es el Realismo desde una perspectiva religiosa. Es la filosofía que gobierna la educación de la Iglesia Católica Romana. Tomás de Aquino postulaba que se puede alcanzar a Dios por la razón intelectual. Lo que se puede saber por la fe, decía Tomás, se puede confirmar por la razón. Tomás extendió la idea de Aristóteles, que es forma y materia, para decir que una combinación de la forma y la materia rinde la esencia de una cosa. Esta esencia, entonces, se combina con otra esfera, que es la existencia, para dar carácter a un ser. Además, Tomás decía que Dios es el origen de toda forma y materia porque su esencia y su existencia forman el *ser* perfecto (compárese Ex. 3:14).

Entonces, el Neo-Tomismo afirma que el universo tiene su base en la materia física y está sujeto a leyes físicas, pero que debe su existencia a un Creador todopoderoso quien lo creó con propósito. Los seres humanos tienen el derecho de escoger cómo reaccionar a su mundo, pero deben hacerlo a través del intelecto y la voluntad (Griese, pág. 80).

Educacionalmente, el Neo-Tomismo se interesa en el logro de un conocimiento permanente y absoluto de una verdad permanente y absoluta. El sistema educacional es un sistema lógico, disciplinado, que le ayuda al que ha de aprender a "afinarse", a recibir "señales" de la realidad, conociendo más y más acerca de su mundo. La verdad que uno pueda aprender puede ser verdad sintética (científica), que se prueba científicamente o verdad analítica, que se prueba con el intelecto o con la instrucción humana.

El maestro, en este sistema, es uno que disciplina la mente de su alumno con razón. A la vez actúa como guía espiritual. Como el maestro idealista, el neo-tomista es la fuente de la información que necesitan los alumnos y su responsabilidad es proveer datos a los alumnos que les ayuden a desarrollar su poder de razonar. El alumno se desarrolla con procedimientos intelectuales a través de los cuales se vuelve un intelectual. Aprende mejor en un ambiente que le enseña que no encontrará la verdad hasta después de un entrenamiento cuidadoso y disciplinado de su mente.

El currículo neo-tomista consiste en materias disciplinarias como matemática, idiomas, dogma, doctrina, etc. Estas materias supuestamente explican al alumno la realidad de su mundo. Cualquier método de carácter académico y disciplinario es aceptable para enseñar el currículo.

Neo-Tomismo: Implicaciones para la educación religiosa

Obviamente, esta filosofía ha influido mucho en la educación religiosa en la tradición católica romana, pues es la expresión educacional de su teología. Los que vivimos en latinoamérica, en países predominantemente católicos, podemos ver estas influencias en la educación estatal, con su énfasis en la memorización, la repetición y otros métodos disciplinarios.

Pero también se ve su influencia en la educación cristiana evangélica. En muchas iglesias y/o denominaciones hay énfasis en la disciplina mental. Los esgrimas bíblicos, los concursos de conocimientos bíblicos y la memorización de versículos son ejemplos de esta influencia. Muchos materiales educacionales de publicadoras evangélicas dan lugar a conferencias o el dictado de una materia, un método que puede ser eficiente si incluye un sistema de evaluación.

Debemos recordar que esta filosofía fomenta algunas destrezas importantes, como las siguientes: habilidad para recordar, facilidad con palabras, habilidad para razonar y el cultivo de la memoria (por ejemplo, recordar datos bíblicos).

Pragmatismo: Sinopsis

La filosofía que pone más énfasis en la práctica que en la teoría deriva su nombre de una palabra que quizá significa acción o trabajo. Lo que la filosofía mantiene, es que uno debe buscar lo que sirve a sus propósitos; es decir, lo que es más pragmático o práctico es lo que uno debe hacer.

La filosofía pragmática dice que la realidad de la vida se encuentra en la experiencia. Si uno experimenta algo, entonces es real y verdadero. Todo lo que se experimenta con los cinco sentidos es válido y es de las experiencias diarias a través de los sentidos que aprendemos de qué se trata la vida.

Educacionalmente, el pragmatista diría que el aprendizaje es un proceso sin fin, determinado por la experiencia. Diría además que hay muchas ideas o conceptos que son "candidatos" para ser "verdades", pero ninguno es verdad. La verdad, pues, es lo que funciona, y la inteligencia no es una posición mental, sino la habilidad de hacer algo.

El alumno, en este esquema, está en el centro del proceso de enseñanza- aprendizaje. Lo que se enseña debe ser según sus intereses. En lugar de enseñarle lo que le convenga al maestro o a un cierto currículo, se le ayuda a desarrollar sus intereses para que aprenda de sus propias experiencias. El maestro tiene la responsabilidad de ser un co-aprendiz con sus alumnos. El es quien dirige el proceso de enseñanza-aprendizaje, pero no se ocupa en impartir datos y conocimientos a sus alumnos. Solamente les presenta los problemas y algunas posibles maneras de solucionarlos.

El currículo pragmático consiste más en la solución práctica de problemas que en un juego de datos y hechos. La psicología y la ética serían buenos ejemplos de materias en un currículo pragmático. Una materia no es válida para el currículo si no se adapta a una situación real en la experiencia en la cual se puede poner en práctica lo aprendido. El método más conocido para el aprendizaje es el llamado método científico o de resolución de problemas. Es un método en el cual uno identifica un problema, procura todos los datos relacionados, busca soluciones posibles al problema, escoge la mejor solución y actúa para resolver el problema.

Pragmatismo: Implicaciones para la educación cristiana

Esta filosofía del siglo XX se ve en la iglesia en varias maneras. En primer lugar, una actitud pragmática en la educación cristiana daría más énfasis al ministerio práctico que a una doctrina teórica. Por ejemplo, en lugar de enseñar que todos los cristianos tienen una responsabilidad evangelística, según Mateo 28: 19, 20, el pragmatista buscaría formas para entrenar a sus alumnos en el evangelismo práctico dentro del ambiente del alumno.

El pragmatismo influye también en la enseñanza cristiana en otras maneras. Reduce el autoritarismo del maestro, con resultados positivos y negativos. Insiste en que el aprendizaje de verdades bíblicas sea con actividades prácticas. Afecta los papeles del maestro y del alumno, porque no se encuentran en sus roles tradicionales del maestro que sabe todo y el alumno que no sabe nada. Esta filosofía, adaptada a la educación religiosa, pone al cristiano en el centro. Esta es una influencia positiva si el alumno, y no la institución, está en el centro. Es negativa si el alumno y no Cristo, está en el centro.

Para muchos, en esta filosofía faltará estructura adecuada, especialmente en los casos de iglesias que realizan toda su educación durante una hora dominical.

Existencialismo: Sinopsis

Una filosofía relativamente nueva, el Existencialismo, se basa en el personalismo y rechaza todas las otras filosofías. Le interesa solamente la existencia y autonomía de uno en el mundo.

Este esquema de pensamiento mantiene que el cosmos existe sin cambios y que la humanidad es "tirada a la existencia" dentro del cosmos. Lo que le suceda a las personas en la vida depende de cómo se desarrolla a través de sus elecciones en la vida diaria.

Educacionalmente, uno puede aprender en dos esferas, según el existencialista. La primera tiene que ver con la conciencia del mundo existencial. La segunda, casi indefinible, tiene que ver con la conciencia de la conciencia del mundo existencial. Es una educación no formal y no tradicional. Es difícil que se haga en una aula de clase. Es más una educación que se hace en la experiencia de la vida, mientras uno refleja y actúa sobre su existencia en el mundo. Es una filosofía que concuerda con los movimientos como la llamada teología de la liberación, que busca la libertad del individuo.

El propósito de un maestro de este tipo de educación es solamente despertar en el alumno un sentido de identidad, para que, en base a ello, él mismo pueda descubrir su mundo. El alumno es así completamente responsable por el éxito de su aprendizaje y cualquier resultado que tenga. El punto clave del aprendizaje es un "momento existencial" en el cual el alumno se descubre por primera vez. Es un "sistema" radical de educación, basado en conceptos extraños a la educación tradicional.

Existencialismo: Implicaciones para la educación cristiana

No es tan fácil hablar de cómo esta filosofía influye en la educación religiosa. Quizá tenga más influencia en algunos conceptos radicales, como mencionamos antes. Alguien ha sugerido que esta filosofía tiene, para las iglesias evangélicas, las implicaciones siguientes: Primera, como dice la filosofía, cada alumno cristiano debe estar completamente involucrado en la materia que está estudiando —la Biblia. Segunda, como insiste el Existencialismo, la iglesia cristiana también insiste en que la educación espiritual sea auténtica. Esto significaría autenticidad en el maestro tanto como en el alumno. Tercera, como el alumno en un "sistema" existencial, un existencialista cristiano diría que el alumno cristiano debe responsabilizarse completamente por sus creencias y trabajo cristianos. Indudablemente, el cristiano es responsable por sus acciones, pero según la teología que empezamos a desarrollar en la lección anterior, tiene una comunidad de fe que también se responsabiliza por él.

II. UNA NUEVA FILOSOFIA

El educador funciona, lo sepa o no, según una filosofía educacional. Bien puede ser que el lector siga una de las filosofías arriba descritas o una combinación de dos o más de ellas. Es más probable que sea una combinación de más de una filosofía, porque no hay muchos "puristas" educacionales.

Queremos ahora sugerir otra filosofía que puede considerarse apropiada para la educación en la iglesia. Al hacerlo, se toman en cuenta algunas ventajas de las filosofías clásicas y se toma muy en cuenta la teología educacional del discipulado y de relaciones interpersonales, que se sugirieron en el capítulo anterior.

La nueva filosofía se basa en un concepto nuevo de diálogo. Generalmente, la palabra diálogo trae a la mente el cuadro de dos personas conversando o "dialogando." Este es un cuadro correcto. Pero hay un sentido más amplio y quizá más completo de "diálogo." El diálogo entre las personas puede involucrar mucho más que meras palabras. "Diálogo" se puede entender como todo lo relacionado al intercambio

personal entre dos personas. Por ello, la filosofía que queremos proponer es una filosofía de diálogo. Es decir, es una
filosofía educacional que hace hincapié en las relaciones
interpersonales entre los miembros del cuerpo de Cristo,
mientras ellos están enseñando y aprendiendo a través de los
métodos convencionales y a través de las vivencias de su vivir
diario.

Las filosofías clásicas, tradicionales y contemporáneas,
tienen mucho que enseñarnos. Pero ninguna de ellas, en sí, es
completamente adecuada para el educador cristiano. Algunas
de ellas se interesan más en distribuir propaganda o en
propagar dogmas, que en enseñar. En un sistema educacional
gobernado por tal filosofía, los alumnos saldrían como réplicas
de sus maestros, pensando exactamente como ellos piensan,
actuando exactamente como ellos actúan. Hasta cierto punto
esto no es malo, porque sigue algunos principios del modelado
y del discipulado que encontramos en el Nuevo Testamento.
Pero el sistema falla cuando el alumno piensa y actúa
exactamente como su maestro, sin desarrollarse a sí mismo
como persona digna delante de su Creador, de la comunidad
de fe y del mundo. Tales sistemas de enseñanza dogmática no
dejan en libertad al alumno para cuestionar, preguntar,
interpretar, sacar conclusiones y actuar, según la voluntad de
Dios para sus vidas. Entonces son sistemas secos, impersona-
les y de estímulo externo en lugar de ser sistemas de incentivo
interno para aprender y aplicar verdades espirituales.

Otras de estas filosofías comunes funcionan de acuerdo al
"síndrome del embudo." Es decir, que los que enseñan creen
que saben todo y que los alumnos no saben nada. La mejor
solución, pues, es derramar todos los conocimientos bíblicos al
cerebro del alumno a través de un "embudo" instruccional,
para que tenga lo necesario para vivir la vida cristiana. Sin
dejar lugar para el diálogo interpersonal, estas filosofías niegan
que el alumno tenga experiencias de vida aplicables a lo que
está aprendiendo en su instrucción bíblica.

Algunas de las filosofías funcionan también según la
teoría "bancaria", propuesta por el brasileño Freire. Es un
concepto que dice que los maestros depositan ideas o información en las mentes de sus alumnos como si fueran bancos
pequeños de información. Los maestros, entonces, esperan

que un día sus alumnos puedan rendir cuentas de lo que se ha depositado allí.

También vemos en estas filosofías tradicionales, el concepto de que todo lo que el alumno necesita conocer ya existe latentemente en su cerebro y el alumno o la institución educadora (la iglesia en este caso) solamente tiene la responsabilidad de estimular y "bombear" estos conocimientos y entendimientos a la superficie.

Al analizar bien todo esto, nos damos cuenta que las filosofías tradicionales ponen su énfasis en uno de tres lugares en el proceso de enseñanza-aprendizaje: en la persona del maestro, en la persona del alumno o en el contenido de la instrucción. El autor quisiera afirmar que las tres cosas son de suma importancia: el maestro, como el ejemplo de uno que ya ha tenido experiencia en la vida cristiana; el alumno, como uno que necesita ayuda en su peregrinaje de fe; y un contenido inspirado por Dios, que encontramos en las Sagradas Escrituras. Pero, a la vez, quisiera afirmar que si las tres cosas son de tanta importancia, no se debe dar más énfasis a una y excluir a las otras. Quisiera sugerir la alternativa de que la relación de diálogo tenga prioridad en el proceso cristiano de enseñanza-aprendizaje, porque así el maestro, el alumno y el contenido toman sus respectivos lugares en forma correcta y apropiada. Tal filosofía afectaría el trato entre maestros y alumnos, las relaciones interpersonales entre los miembros de nuestras congregaciones, la organización y el tamaño de las clases formales de estudio bíblico, la metodología que se emplea para presentar las verdades espirituales, el tipo de ambiente que se cree en el proceso de enseñanza-aprendizaje, la aplicación de lo que se aprende mutuamente en la comunidad de fe, y un sin número de otras implicaciones. No dejemos que la educación en nuestras iglesias sea tan académica que no haya calor e intercambios significativos entre maestros y alumnos, y entre alumnos. Dejemos, más bien, que el Espíritu de Dios use nuestras diferencias y nuestras semejanzas y todo lo que somos en relación con los demás en el pueblo de Dios, para que, a través de ello, escudriñando su Palabra, aprendamos a funcionar en la comunidad de la fe.

Preguntas para el repaso

Después de leer el texto, responda a las siguientes preguntas:

1. En su opinión, ¿es necesario que un educador cristiano tenga una filosofía personal de educación?
2. Al Pragmatismo a veces se le llama Experimentalismo. ¿Por qué sería éste un nombre apropiado para esta filosofía?
3. Para el idealista cristiano, ¿quién sería la "Mente Absoluta?
4. Hay un requisito muy importante para el maestro en el esquema idealista. ¿Cuál es?
5. Mencione cuatro implicaciones positivas del Idealismo para la educación cristiana.
6. Mencione una implicación negativa del Idealismo para la educación cristiana.
7. El Realismo tiene relación con el Conductismo que estudiamos en el capítulo 10. ¿Por qué?
8. Mencione cuatro implicaciones del Realismo para la educación cristiana.
9. ¿Por qué se dice en el capítulo que "Diálogo y Acción", de la Casa Bautista de Publicaciones, refleja tendencias realistas?
10. Explique la declaración hecha por Hegel que dice: "La historia es Dios pensando."
11. Piense en el programa educacional de su iglesia. Con su nuevo conocimiento de algunas filosofías educacionales, ¿piensa usted que su programa tiende hacia una de las filosofías más que a las otras? Explique su respuesta.
12. Haga un estudio exegético de Exodo 3:14. ¿Qué tiene que ver con las teorías de Tomás de Aquino en cuanto a la esencia y existencia?
14. Mencione algunos posibles programas educacionales para la iglesia que tendrían un carácter pragmático.
15. Mencione los cinco pasos del método científico (método de resolver problemas).
16. ¿Tendría el método científico valor para la iglesia? Mencione algunos ejemplos.
17. ¿A qué se refiere la palabra "diálogo" en este capítulo?
18. Evalúe la filosofía de diálogo.

Temas de discusión

1. Kenneth O. Gangel, en su libro *Leadership for Church Education* (Liderazgo para la educación en la iglesia), sugiere los siguientes puntos principales para su filosofía de la educación en la iglesia:

    (1) Su metafísica (perspectiva de la realidad) debe ser Dios- céntrica.

    (2) Su epistemología (perspectiva acerca de la verdad) debe ser revelación-céntrica.

    (3) Su antropología debe ser imagen-céntrica.

    (4) Su axiología (sistema de valores) debe ser eternidad-céntrica.

    (5) Su objetivo debe ser Cristo-céntrico.

    (6) Su currículo debe ser la Biblia.

    (7) Su metodología debe ser de interacción.

    (8) Su disciplina debe estar basada en el amor.

    (9) Sus maestros deben ser espirituales.

  (10) Su evaluación debe estar basada en el crecimiento. Evalúe su filosofía.

2. ¿Cuáles serían algunas implicaciones de largo plazo si nuestras iglesias adoptaran una filosofía de diálogo para su programa educacional?

Quinta parte

BASES ORGANIZACIONALES PARA UN PROGRAMA EDUCATIVO EN LA IGLESIA

Capítulo 13

FACTORES EN EL DESARROLLO DE UN PROGRAMA EDUCATIVO

En este capítulo, queremos enfocar algunas nociones prácticas que reflejan las ideas teóricas que se han presentado en algunos capítulos anteriores. Una pregunta clave para el educador cristiano es: ¿Cómo poner en práctica su teología y filosofía de la educación, y cómo usar lo que sabe de la historia y de la cultura? Se ha observado muchas veces, que la teoría sin la práctica no vale mucho. Así es con la educación cristiana en la iglesia local. Si no *se hace* algo, lo que *se sabe* no beneficia al pueblo cristiano. Por ello, en este capítulo daremos un vistazo a seis factores que se deben considerar al poner en práctica un programa educacional en la iglesia local: administración, planificación y evaluación, personal, agrupaciones, facilidades y equipo, y currículo.

I. ADMINISTRACION

El lugar del pastor

Dos cosas, casi paradójicas, se deben decir en cuanto al lugar del pastor en el programa educacional de la iglesia. En primer lugar, el pastor debe enterarse de y profundizarse en las necesidades educacionales de su grey y en los esfuerzos de su iglesia para satisfacer esas necesidades. En muchos casos, por su educación teológica, el pastor será el único en la iglesia que tenga conocimiento de los principios educacionales que se pueden incorporar al ministerio de la iglesia. Tendrá que ser él quien se encargue mayormente de la planificación y la ejecución del programa educacional. Su preocupación por el crecimiento espiritual de sus miembros le dará una visión para proveer para su edificación.

El pastor debe tener los conocimientos básicos que le ayuden a sugerir los mejores ingredientes en el programa de su iglesia. Debe preocuparse por leer, además de sus libros exegéticos y de teología, libros acerca de principios educacionales.

El pastor enseña en su predicación. Al hacerlo, se dará cuenta de lo inadecuado de su enseñanza, por hacerse en tan corto tiempo. Esta enseñanza del pastor en sus sermones y en otras oportunidades de entre semana, son de mucha importancia en la función educacional de la iglesia por su carácter autoritativo y por su inspiración espiritual. Pero, el mismo pastor se dará cuenta que eso no es suficiente para todas las necesidades de la iglesia. El se preocupará, entonces, por un programa más amplio, lo promoverá y ayudará a administrarlo.

Paradójicamente, el pastor no tiene que ser forzosamente la persona encargada del programa educacional de la iglesia. En algunos casos, especialmente en iglesias muy pequeñas, quizá es mejor que lo sea. Pero, en muchos casos, sería mejor que el pastor delegara las responsabilidades educacionales a personas capacitadas en esta área. Aliviaría al pastor de la trampa de sobre-extenderse, cuando tiene otras responsabilidades como las de predicar, visitar, orar y aconsejar. A la vez la persona o personas que se encarguen de la educación pueden crecer mientras aprenden su oficio y/o ejercen su don o destrezas. El pastor que hace todo porque teme que otros fallen, o que hace todo por su superioridad intelectual o práctica, nunca tendrá el privilegio de trabajar estrechamente con los líderes en su iglesia, porque nunca habrán líderes.

El Director de educación

Algunas iglesias tendrán una persona en quien el pastor y la iglesia tengan confianza, quien se encargue completamente del programa educacional, siempre en coordinación con el pastor. Esta persona puede ser alguien con entrenamiento teológico, un ministro "profesional", que recibe sueldo, o puede ser un laico, voluntario, quien recibe su entrenamiento del mismo pastor. Puede ser solamente el "superintendente" (director es el título más correcto) de la escuela dominical o puede ser responsable por cualquier actividad educacional que la iglesia ofrezca.

Se ha notado que en muchas iglesias evangélicas el "superintendente" tiene una tarea muy limitada, que consiste en presidir la apertura y clausura de la escuela dominical. En realidad, su trabajo es mucho más que eso. Aquí se sugieren algunas responsabilidades de este "brazo derecho" del pastor:

1. Ser ejemplo en la visitación.

2. Entrenar o proveer oportunidades de entrenamiento para los maestros en la iglesia.

3. Presentar informes semanales, mensuales y anuales a la iglesia.

4. Presupuestar las necesidades materiales de la escuela dominical.

5. Coordinar con el tesorero de la iglesia para la compra de equipos y útiles.

6. Asesorar a la escuela cada domingo, con el intento de resolver problemas y corregir situaciones desfavorables.

7. Mantener un registro de asistencia y otros datos que le convengan a la iglesia (si ésta es relativamente grande, un secretario le puede ayudar).

8. Estar atento a cualquier necesidad, que de no cumplirla, pondría en desventaja el crecimiento y el buen funcionamiento de la escuela.

9. Trabajar estrechamente con el pastor.

En el caso de que el superintendente o director de educación no esté capacitado en una de estas áreas, debe procurar asistir a conferencias o talleres que le ayuden, leer y estudiar obras referentes a este campo, y pedir la ayuda del pastor y de otras personas calificadas en esta área.

Comisiones y juntas

Algunas iglesias hacen uso de una junta de educación cristiana o de una comisión sencilla, que asesora y planifica el ministerio educacional de la iglesia. No es la práctica en muchas iglesias bautistas el utilizar tal junta, pero si le conviene a su iglesia, no hay nada que le impida tenerla. Si la iglesia desea emplear una junta o comisión, sus responsabilidades serían semejantes a las arriba mencionadas como responsabilidades del director. La comisión coordinaría sus esfuerzos con los del director para un programa cohesivo.

Paul Dirks (en Graendorf, pág. 260) ha sugerido algunas funciones para una junta de educación cristiana. Son las siguientes: estudiar las necesidades educacionales; establecer objetivos; desarrollar el programa; aprobar el currículo; asesorar a los obreros; proveer las facilidades; desarrollar un reconocimiento educacional entre los miembros; alentar la cooperación entre el hogar y la iglesia; y, evaluar el progreso.

II. PLANIFICACION Y EVALUACION

Sin entrar en una discusión detallada, cabe recalcar que, el pastor, el director de educación y otras personas involucradas en la obra educacional de la iglesia, tienen la responsabilidad de planificar para el funcionamiento y éxito del programa educacional de la iglesia.

Según Barnard y Rice, "planificar es proyectar el curso de acción" (Sanner y Harper, pág. 372). Un buen programa de educación no surge por su propia cuenta ni se mantiene sin una planificación y evaluación continua. Como se dijo en la sección anterior, los responsables deben analizar las necesidades de la iglesia y hacer planes específicos para satisfacerlas. Sus planes deben incluir detalles, como: ¿cuánto va a costar? ¿cuánto personal será necesario? ¿cuáles son las metas? ¿en qué modo se va a evaluar? ¿cuál es el grupo en la iglesia que se quiere alcanzar con el programa? ¿cuáles son los métodos que se van a usar? ¿con qué currículo se cuenta para este programa?, y otros detalles que puedan parecer necesarios.

El análisis de las necesidades de la iglesia es muy importante por varias razones. Primera, le permite a la iglesia reconocer lo adecuado o inadecuado de los programas existentes. Segunda, le ayuda a la iglesia a entender que la educación cristiana es mucho más que una hora dominical (recuerde nuestra teología y filosofía). Tercera, le da a la iglesia oportunidad para la creatividad, mientras trata de desarrollar programas que satisfacen específicamente sus necesidades únicas como iglesia local autónoma. Cuarta, le permite a la iglesia escudriñar las necesidades de grupos minoritarios, como los que tienen deficiencias mentales o físicas. Por ejemplo, si la iglesia utiliza la literatura "Diálogo y Acción", ¿qué provisiones podría hacer para los hermanos analfabetos? Quinta, estimula a la iglesia a aprovechar la presencia de recursos humanos y materiales que fueron poco utilizados en el pasado.

Al analizar sus necesidades educacionales, en base a una teología extendida y una filosofía que se quiere practicar, una iglesia puede darse cuenta de que le falta mucho en la instrucción espiritual. Hacer planes cuidadosamente para corregir eso puede cambiar por completo la fisonomía de la iglesia. La planificación y la evaluación es parte de la organización que forma parte integral de la teología que estudiamos en el capítulo 11.

III. PERSONAL

Otro factor muy importante en la organización del programa educacional es la búsqueda y uso de los recursos humanos necesarios para el funcionamiento del programa. Los dos asuntos de igual importancia, en cuanto al personal, son el reclutamiento y el entrenamiento.

Reclutamiento

Un método para buscar personal que se usa mucho es el reclutamiento a la criolla. El programa ya cuenta con personal de años atrás y no se piensa en evaluar su efectividad. O, surge una necesidad y el pastor y/u otros nombran una persona para tomar ese cargo. Este sistema, por mucho que se utilice, no es recomendable. Nuestra teología de la educación no lo permite, porque no da lugar para un análisis de las relaciones interpersonales y del modelado, y porque no refleja un proceso organizado.

El método más recomendado en los manuales eclesiásticos es el uso de una comisión de nombramientos. Esta comisión puede ser la comisión de educación, si la iglesia la tiene, o puede ser una comisión nombrada por la iglesia o nombrada por el pastor y ratificada por la iglesia. Su función es estudiar los puestos que se necesitan llenar y reclutar personas para los mismos. Los pasos que sigue en su trabajo son los siguientes:

1. Revisar las necesidades y los puestos a ocupar.
2. Considerar toda la membresía y la diversidad de talentos, destrezas y dones.
3. Sugerir entre sí personas de la membresía que podrían servir en las distintas áreas de necesidad.
4. Entrevistar a las personas sugeridas para saber su disponibilidad y voluntad para servir en las capacidades para las cuales son consideradas.
5. Recomendar a la iglesia el nombramiento de las personas que están dispuestas a servir.

Algunas iglesias dirán que utilizan el método de una comisión nominativa, cuando en realidad utilizan una mezcla de este método y del primero. Si la comisión de nombramientos ha de funcionar eficientemente debe tomar en serio su responsabilidad. Debe trabajar bajo la guía del Espíritu Santo y eso indica que el proceso entero debe ser bañado en oración. Si toma en serio su trabajo, la comisión no esperará el último momento para comenzar su labor. Se debe empezar con meses de anticipación para tener el tiempo necesario para las entrevistas.

Para algunas personas, el sistema de comisiones de nombramientos es demasiado rutinario y no toma en cuenta suficientemente el aspecto de los dones espirituales y el deseo de los miembros del cuerpo de ejercer su don. De ser éste el caso en su iglesia, el autor le recomienda un método que combina la organización de una comisión nominativa con una flexibilidad espiritual que toma en cuenta los dones y deseos de la membresía en una forma más directa. El autor ha tenido experiencias favorables con este método en dos iglesias, en dos culturas diferentes.

Para comenzar, la iglesia nombra una comisión de nombramientos cuya responsabilidad es *canalizar los dones* de los miembros. La comisión no trabaja con nociones preconcebidas de quienes deben o no ocupar puestos de responsabilidad en el programa de educación. La comisión prepara una declaración de los puestos de responsabilidad que le parece necesario llenar, siempre dando flexibilidad en el caso que el Espíritu Santo guíe a un hermano a sugerir un nuevo puesto o ministerio. La comisión pide a la iglesia que ore mucho sobre las varias responsabilidades que hay. En una fecha anunciada, o dentro de un plazo de tiempo, cada miembro de la iglesia tendrá la oportunidad de comunicar a la comisión en cuáles de los cargos que hay, estaría disponible para servir, de acuerdo a la guía del Espíritu Santo en su vida y a los dones espirituales que tiene y debe ejercer. Esta comunicación puede realizarse en forma de diálogo personal con un miembro de la comisión, o en un formulario confeccionado por la comisión para este propósito.

Después de recibir estas manifestaciones de disponibilidad para el servicio, la comisión coordina las personas y los cargos, siempre con autoridad de la iglesia para hacer sugerencias en caso de duplicaciones o problemas especiales que se presentan. En su formulario o en forma personal, la membresía también puede comunicar a la comisión su sentir de ocupar un cargo nuevo o de empezar un nuevo ministerio.

La comisión estudia todo esto y lleva a la iglesia en sesión sus recomendaciones en cuanto a las personas indicadas para los cargos tradicionales y para los nuevos ministerios. Puede ser que este sistema no funcione en todas las iglesias, especialmente si la membresía es ignorante de sus dones espirituales. Sin embargo, en una iglesia que toma en serio la responsabilidad de educar a sus miembros, este sistema evita la lucha en que se encuentran muchas comisiones de nombramientos para llenar todos los puestos en su lista. Respeta, más bien, la guía del Espíritu Santo en la vida de los miembros. Si el sistema se emplea con mucha oración, no escaseará personal para el funcionamiento del programa educacional.

Entrenamiento

Una vez reclutado, el personal debe ser entrenado para cumplir bien su tarea. El entrenamiento debe ser en cuatro formas: orientación inicial, oportunidades especiales de aprendizaje, entrenamiento continuo, y con relaciones interpersonales con el director y el pastor. Vamos a pensar brevemente en cada una.

Orientación inicial. Antes de empezar el año eclesiástico, el director de educación y/o el pastor debe reunirse con todo el personal involucrado en el programa educacional. El propósito de esta reunión es múltiple. Es para estimular, inspirar, planificar, aclarar responsabilidades, orientar en cuanto al uso de la literatura, explicar sistemas, programas, horarios y cualquier otra cosa que ayude a lograr un buen comienzo del programa anual.

Oportunidades especiales de aprendizaje. Durante el año, la iglesia debe ofrecer a sus maestros y oficiales en el programa de educación algunas oportunidades especiales de aprendizaje pedagógico. Para mayores resultados, pueden ser en forma de talleres prácticos. Si hay personal especializado en la educación cristiana que vive en su área, sería bueno pedir su participación como conferencistas o personas de recursos para los talleres. Puede ser que haya un equipo de entrenamiento en su área, auspiciado por su convención o asociación, cuya especialidad es planificar y participar en tales encuentros.

Entrenamiento continuo. Además de estas oportunidades, que quizá involucran personal fuera de la membresía local, deben utilizarse reuniones periódicas de los maestros y oficiales en el programa educacional. La frecuencia de estas reuniones es cuestión de la iglesia. Algunas las tendrán trimestralmente, para evaluar el trimestre pasado y planificar el que se acerca. Otras las tendrán bimestralmente o mensualmente. Sin embargo, las iglesias que reúnen su cuerpo docente semanalmente o dos veces al mes, cosechan más beneficios de las reuniones. Si la iglesia es relativamente pequeña y tiene muchas actividades en la semana, quizá no le convenga tener reuniones con tanta frecuencia. Pero, cuanto más frecuentemente se tengan las reuniones de maestros, más cohesivo será el programa.

Lowell E. Brown sugiere cuatro ingredientes clave para la reunión periódica: Estudio bíblico relacionado con la vida de los maestros, actividades para mejorar las destrezas pedagógicas, anticipo de la unidad o de la lección (en Graendorf, págs. 279, 280).

Las reuniones deben ser inspiradoras, para que los participantes no se aburran. Deben ser prácticas, para que se mejore la enseñanza. Deben ser relacionadas con las agrupaciones de alumnos, porque niños, jóvenes y adultos aprenden en maneras distintas.

Relaciones interpersonales con el director y/o pastor. Mucho de lo que el maestro u otro oficial educativo necesita aprender en su desarrollo, lo aprenderá informalmente o incidentalmente en los intercambios personales con los líderes del programa. Es muy importante que el pastor y el director de educación, tanto como los maestros y oficiales, procuren cultivar amistades para que aprendan el uno del otro. Una intimidad resultante también da cohesión al programa y ayuda a que todos los involucrados tengan una visión semejante de lo que el programa puede significar para el crecimiento de la iglesia.

IV. AGRUPACIONES

Estudios basados en la psicología del ser humano indicarán que la enseñanza puede ser más eficaz cuando los alumnos están agrupados por edades. En el capítulo 10 vimos varios esquemas de categorizaciones de personas de acuerdo a su edad y/o desarrollo. En la educación formal que se practica en la iglesia, estas medidas de desarrollo deben seguirse, en lo posible, para que los niños estén con niños, los jóvenes con jóvenes y los adultos con adultos.

En la educación informal en la iglesia, estas divisiones no tienen mucha importancia, pues cada miembro del cuerpo, no importa su edad, tiene algo que compartir con los demás miembros del cuerpo. Pero sí la tienen en un programa organizado para el propósito específico de educar.

Cada iglesia tiene la libertad de agrupar, conforme a sus necesidades, a los maestros disponibles y a las facilidades disponibles. Aun las iglesias muy pequeñas deben procurar dividir su escuela dominical en dos grupos, niños y jóvenes/adultos y si es posible los jóvenes y adultos también deben estar separados. A una iglesia que usa literatura provista por su denominación, le convendrá emplear las agrupaciones sugeridas por la literatura. Las iglesias bautistas en América Latina, que usan literatura de la Casa Bautista de Publicaciones, dividirán su escuela dominical según la fórmula siguiente:

0-2 años Preescolares A
3-4 años Preescolares B
5-6 años Preescolares C
7-8 años Escolares A
9-11 años Escolares B
12-17 años Jóvenes A

18-25 años Jóvenes B
26-49 años Adultos A
50- años Adultos B

Se debe recalcar que estas divisiones son susceptibles de cambios, dependiendo de la situación de la iglesia. Si la escuela dominical es muy pequeña, se pueden cambiar algunos grupos y escoger la literatura que mejor llena sus necesidades. Si es muy grande para nueve clases, cada grupo puede convertirse en un departamento, y subdividirse en el número de clases que sean necesarias.

También es importante la cantidad de alumnos que se permite en un grupo o clase. Aunque hay mucha diferencia de opinión sobre este punto, el autor sugiere que en las clases de niños el número ideal para un buen proceso de enseñanza-aprendizaje es 10, y que el máximo absoluto en una sola clase es 15. Las clases de jóvenes y adultos son más flexibles. Un promedio de 15-20 es un buen número para estas clases, con 25 como tope.

Algunas iglesias tienen el concepto de que todos los jóvenes y todos los adultos deben estar juntos, por el compañerismo, por el estímulo de ser parte de un grupo más numeroso o por otra razón. En parte, este concepto es razonable. Por otro lado, la experiencia enseña dos verdades en cuanto a grupos pequeños. En primer lugar, un grupo más pequeño favorece la participación activa de más alumnos durante la clase. En segundo lugar, la clase grande que se divide en dos crece más rápido como dos clases que como una sola.

Otro asunto que se debe considerar en la manera de agrupar es la cuestión de los sexos. No hay reglas específicas que seguir en este asunto, pero el autor ofrece las sugerencias siguientes. Los niños preescolares se dividen mejor por edades porque su desarrollo es muy variable durante los primeros seis años de vida. Los niños escolares generalmente funcionan mejor divididos por sexo. Los jóvenes probablemente deben estar en clases mixtas y éstas divididas por edades, como 12-13, 14-16, 17-25, dependiendo de las divisiones en los colegios estatales donde asiste la mayoría. Los adultos casados hasta 35 o 40 años generalmente rinden mejor cuando los esposos pueden estar juntos, pero más allá de los 40 años parece que no hay mucha diferencia entre clases mixtas o las separadas por sexo.

V. FACILIDADES Y EQUIPO

Todo lo sugerido en cuanto a agrupaciones también va a depender de las facilidades que la iglesia puede proveer. Lo que sería ideal y lo que será la realidad en muchas iglesias evangélicas de América Latina no es la misma cosa. La economía es un factor formidable en la construcción de ambientes adecuados para una enseñanza eficaz.

Para tener una meta hacia la cual planificar, hablemos de lo ideal. Según Dobbins (en Graendorf, pág. 298), el espacio ideal para la educación formal en la iglesia debe incluir los aspectos siguientes. Los Preescolares A, deben contar con camitas y otros equipos, y una aula completamente separada de los lugares donde se reúnen los padres de los infantes. Su equipo debe ser tal, que los padres no se preocupen de dejar a sus niños allí. Los Preescolares B y C, necesitan un espacio relativamente grande y abierto donde puedan respirar aire puro y tener un movimiento libre en las actividades que se planifiquen para ellos (aproximadamente 1.50 m2 por niño). Son niños de una edad inquieta y no se debe esperar que se sienten dócilmente por el tiempo que dure la clase.

Los Escolares A, pueden estar en aulas grandes, y que sean suficientemente espaciosas para permitir actividades en agrupaciones grandes y/o dividir en grupos pequeños para realizar algunas actividades. Los niños de esta edad no son tan afectados por la bulla que pueda haber con varios grupos trabajando a la vez en un solo ambiente.

Escolares B y Jóvenes A, funcionan mejor si tienen aulas más pequeñas, donde puedan sentarse y estudiar más tranquilamente que los niños menores. Sería bueno proveer mesas y sillas para que puedan estar cómodos mientras estudian la Palabra, quizá con lápiz en mano.

Jóvenes B y Adultos son los más flexibles en cuanto a su lugar de reunión, pero de todas maneras necesitan aulas cómodas para grupos grandes y para clases más pequeñas.

En cada situación el equipo es importante. El uso de sillas para todas las edades es mucho mejor que el uso de bancas, por la sencilla razón que son movibles y por tanto proveen más flexibilidad. Un maestro que quiere crear un ambiente familiar en su clase lo puede hacer mucho más fácilmente arreglando sillas en un círculo que usando bancas puestas en filas. Si las clases tienen no más de 6-10 personas, una mesa alrededor de la cual los alumnos se puedan sentar, ayuda mucho en la enseñanza.

Cada clase debe tener disponible un pizarrón y útiles como tiza, lápices, cartulina, tijeras y marcadores. Las clases de los pequeños deben gozar de algunos juguetes recreativos, muchas cosas de color, y cualquier cosa atractiva que les ayude a sentirse contentos y alegres.

Otra vez, quizá su iglesia no podrá tener muchas de estas cosas. Quizá tenga paredes de esteras, piso de arena y banquitas hechas de troncos. ¡No se desanime! Estas cosas son importantes y en lo posible se deben cumplir. Pero lo más importante es que la Palabra sea enseñada lo mejor posible, que cada iglesia se esfuerce para proveer a sus alumnos la mejor educación posible, y que la iglesia use mucha creatividad con lo que tenga disponible, para que su programa educacional le agrade al Señor. Lo que le agrada a Dios es nuestro mejor esfuerzo, sea éste una aula de paja y barro, con los alumnos sentados en el suelo, o un edificio de cuatro plantas con sillas plegables y el último equipo electrónico.

VI. CURRICULO

El currículo debe tener su enfoque en la Biblia, sin excepción. Debe ser un currículo que enseña información y datos cognoscitivos, pero que sea práctico y aplicable a la vida diaria. Debe ser un currículo que se presta a métodos de enseñanza que favorecen la participación activa de los alumnos. Lo más importante de todo, debe ser un currículo cuyo propósito principal es la transformación de las vidas.

Hay varios tipos de currículos religiosos. Algunos son preparados según un sistema en el cual todas las agrupaciones de la iglesia estudian el mismo tema. Otros proveen para el estudio en toda la escuela dominical del mismo pasaje bíblico, pero con un énfasis diferente para cada grupo. Otros currículos son abiertos, con varios temas preparados y el alumno, no importa su edad, puede escoger el tema que quiere estudiar. Aun otros currículos son casi radicales en su metodología porque rompen algunos preceptos conservadores en cuanto a las características de una educación religiosa. Los educadores que promueven estos sistemas radicales tratan de relacionar su currículo verdaderamente con su teología y filosofía de educación y podríamos aprender mucho de ellos. Desafortunadamente, un escrutinio de sus ideas no está dentro de los límites del presente estudio.

La iglesia puede escoger el tipo de currículo que le convenga. Si no hay literatura disponible para el tipo de currículo que quiera ofrecer, puede preparar su propio material si hay personas calificadas en la iglesia que lo puedan hacer. Es más fácil usar literatura ya preparada. En el próximo capítulo vamos a analizar un currículo y su literatura correspondiente. Vamos a estudiar lo qué ofrece la Casa Bautista de Publicaciones y cómo se puede usar en la iglesia local.

Preguntas para el repaso

Después de leer el texto, responda a las siguientes preguntas:

1. ¿Cuáles son las dos cosas paradógicas en cuanto al papel del pastor en la administración de la educación cristiana?
2. ¿Por qué es importante que el pastor estudie principios de educación?
3. ¿Por qué es insuficiente la predicación para una enseñanza completa en la iglesia?
4. ¿Por qué se pondría en desventaja un pastor cuando él mismo hace todo en la iglesia?
5. Haga una lista de las responsabilidades de un director de escuela dominical.
6. Haga una lista de las responsabilidades actuales que su iglesia espera que cumpla el director de la escuela dominical.
7. ¿Cuáles son algunas preguntas que la iglesia debe formularse en su planificación de la educación?
8. Mencione cinco razones para analizar las necesidades educacionales de la iglesia.
9. ¿Podría su iglesia beneficiarse con el uso de una comisión de educación? Explique su respuesta.

10. En su opinión, si tenemos el Espíritu Santo que nos guía en toda la obra, ¿por qué es necesaria la planificación?

11. ¿Conoce algún ministerio educacional a grupos minoritarios en una iglesia evangélica? Si es así, descríbalo brevemente.

12. ¿Existen una o más personas en su iglesia en una de las categorías siguientes?

    ciegos; sordomudos; analfabetos; que no hablan español; restringidos a estar en cama; que tienen deficiencias mentales. ¿Sería posible que su iglesia comenzara un ministerio especial en su programa educacional, específicamente para ellos? Explique cómo.

13. ¿Por qué no es recomendable la selección de personal "a la criolla"?

14. Explique brevemente el proceso que sigue una comisión nominadora.

15. En el capítulo se sugirió una alternativa a la tarea tradicional de la comisión nominadora. Evalúe la alternativa a la luz de la realidad en su iglesia.

16. ¿Cuál es el propósito de la orientación inicial del personal para un programa de educación en la iglesia?

17. Si su iglesia provee reuniones regulares para su personal educacional, ¿cuáles son algunos beneficios obvios de ello? Si no los tiene, ¿cómo ayudaría su programa el empezar a tenerlas?

18. ¿Cuáles son las ventajas de usar sillas en lugar de bancas en una clase dominical?

Temas de discusión

1. ¿En cuántas maneras tiene relación la planificación, la evaluación, el reclutamiento y el entrenamiento con la teología de la educación que uno debe tener? ¿Qué relación tienen estos asuntos con la filosofía educacional de uno?

2. ¿Cuáles serían algunas relaciones entre las agrupaciones y las facilidades y equipo con la base psicológica de la educación cristiana?

3. ¿Qué relación debe existir entre el currículo y las bases socio-culturales de la iglesia latina?
4. ¿Cuáles serían algunos arreglos que podrían hacer en su iglesia, según sus posibilidades económicas, que representarían un mejor uso de las facilidades y equipo que tenga? Si le parece que algunos cambios ayudarían a su programa, procure conversar con los líderes de su iglesia para pensar en la posibilidad de efectuar los cambios necesarios.

Capítulo 14

MATERIALES EDUCATIVOS

I. UN PANORAMA DE LA LITERATURA DE LOS BAUTISTAS

Hay muchas opiniones divergentes entre los educadores sobre la pregunta: ¿En qué consiste un currículo? Algunos dicen que el currículo es el contenido de lo que se enseña formalmente a un alumno. Otros opinan que el currículo es cualquier herramienta usada por una institución para transformar en alguna manera a sus alumnos. Algunos insisten en que el currículo es el texto o los textos que se usan como recursos de dónde sacar datos e información, mientras otros piensan que los materiales escritos son solamente herramientas utilizadas o no dentro del currículo. Para algunos el currículo es un sistema estructurado, que sirve para un programa de educación por una duración de tiempo predeterminada. Para otros es más general, incluyendo el diálogo, las interacciones interpersonales y el contexto cotidiano; cosas que asisten en un proceso continuo en la formación de una persona.

Sería interesante, quizá, pasar algunas horas especulando sobre estos conceptos y sus implicaciones y ramificaciones. El campo de estudio de los conceptos curriculares es muy interesante y el educador cristiano debe extender su conocimiento y visión educacional, escudriñando lo que pueden decir los expertos educacionales.

Las iglesias necesitan un currículo que enseñe datos bíblicos. Pero no lo necesita en una forma tan académica que parezca un colegio estatal o un instituto bíblico. Un currículo usado en la iglesia debe atender a todas las necesidades de los asistentes. Debe proveer para el aprendizaje *acerca de* la Biblia, y *acerca de* Dios, pero a la vez debe proveer para la internalización de los principios de la Biblia y para la transformación de las personas a través del conocimiento personal de Dios.

El proceso de enseñanza-aprendizaje en el programa educacional organizado en la iglesia local, debe incluir el estudio de la Biblia, aun el estudio científico de la Biblia. Pero este proceso de enseñanza-aprendizaje debe incluir mucho más que el mero estudio de la Biblia. Debe estimular a los integrantes de una clase o un programa a poner en práctica diaria las enseñanzas de la Biblia, a ser transformados diariamente por lo que están aprendiendo en el sistema de educación provisto por su iglesia. Todo lo que se ha dicho en las lecciones anteriores afirma esto; las bases bíblicas, teológicas, filosóficas y socio-culturales indican que la educación cristiana debe ser una educación integral, que toque al individuo en todas las fases de su vida.

Los editores de literatura cristiana, al publicar materiales educacionales para ser usados en las iglesias locales, toman en cuenta sus propios conceptos de currículo. Es por eso que vemos que algunos materiales ponen su énfasis en los conocimientos bíblicos, mientras que otros lo hacen en la aplicación de los principios bíblicos.

A partir del año 1985, la Casa Bautista de Publicaciones ha provisto una serie de materiales educacionales para el currículo de la iglesia que refleja un concepto integral de currículo. Lo llaman el "Programa Educativo Integrado", y su propósito es proveer "una mejor educación integral, basada en la Biblia, centrada en el individuo, orientada por la iglesia y que conduzca a la acción" (*Mejor, Mejor,* una publicación de promoción de la C.B.P.).

La función del programa integrado, según sus creadores, es que todas las organizaciones de la iglesia "estén vital e intrínsecamente coordinadas y enfocadas hacia el objetivo básico de la misión de la iglesia" (*Mejor, Mejor,* pág. 5). Es decir, la esperanza de la C.B.P. es que todos los programas educacionales de la iglesia estén relacionados y que el material curricular que se usa para cada programa también esté relacionado, para que la educación no sea fragmentaria. De ese modo, el enfoque mental en el aprendizaje espiritual estará concentrado en un solo tema a la vez y el alumno no se distraerá.

El programa integrado está dividido en dos ramas principales: el programa de enseñanza bíblica (generalmente lo que se hace en la escuela dominical) y el programa de desarrollo cristiano (un programa complementario que se realiza en otro período de tiempo). El currículo para el programa de enseñanza bíblica se llama "Diálogo y Acción" y su formato refleja su filosofía de integración. La metodología sugerida por los materiales didácticos incluye instrucción en las tres áreas generales de instrucción en la psicología educacional, tocando varias necesidades del aprendiz.

El otro programa, del desarrollo cristiano, "está diseñado con el propósito de ayudar a la iglesia a entrenar a cada persona para que descubra, desarrolle y use sus dones en las oportunidades de servicio que el Señor le provea" (*Mejor, Mejor*, pág. 9). Es un programa práctico que trata de ayudar al participante en el programa de estudio bíblico a hacer pragmático su aprendizaje. La materia está coordinada con los temas de estudio bíblico en "Diálogo y Acción", y presenta al alumno actividades relacionadas que le sirvan para hacer aplicaciones apropiadas del estudio de la Biblia a su vida cristiana.

Además de los dos programas mayores, hay literatura disponible para la educación en las misiones, y muchas publicaciones que la iglesia podría utilizar en programas propios de evangelismo, Escuela Bíblica de Vacaciones o estudios especiales.

II. RESUMEN DE LA LITERATURA EXISTENTE

Le parece al autor que cada alumno de la educación cristiana debe tener un conocimiento práctico de la literatura que le provee su denominación. Cada iglesia puede usar o no los materiales, en forma completa o parcial, según sus necesidades y deseos. Sin embargo, antes de aceptar o rechazar ciegamente, sin saber lo que uno está aceptando o rechazando, el educador debe revisar los materiales disponibles. Luego, con un conocimiento práctico de los materiales a la mano, puede tomar conscientemente una decisión acerca de lo que su iglesia puede aprovechar para su programa único.

En esta sección se le ofrece al lector un resumen de la literatura educacional del programa integrado de la Casa Bautista de Publicaciones. La información dada aquí se puede encontrar en otros lugares en formas diversas, mayormente en materiales publicitarios de la misma C.B.P.. Se presenta aquí, no para duplicar, sino para que el lector tenga a la mano su propio resumen.

El programa de enseñanza bíblica: Diálogo y Acción

Preescolares. Para los maestros de niños de 0-2 años, y de 3-4, la C.B.P. ofrece *La Biblia Me Enseña* y *La Biblia Lo Dice,* respectivamente. Los dos son anuarios que consisten en varias unidades de estudio. Da explicaciones de cómo se puede organizar el trabajo en la cuna, para que la hora o dos horas de la escuela dominical sea un tiempo de aprendizaje para los niños pequeños y no solamente una guardería infantil mientras los padres asisten a sus clases.

Cada unidad de estudio contiene varias lecciones. Cada lección está dividida en dos partes principales: una está orientada a actividades físicas (siempre relacionadas a la lección) y otra que provee para la participación de los niños en un grupo que escucha una historia bíblica aplicada a sus vidas.

Para la clase de niños de 5 y 6 años, se ofrece *Enseñanza Bíblica para Preescolares "C",* en forma de revistas para los maestros y en forma de un juego de hojas de trabajo para los niños. Las hojas de trabajo para los alumnos son de cuatro páginas para cada lección y contienen actividades relacionadas al tema. Las actividades son sencillas, como pintar, dibujar y relacionar ideas. Son actividades que ayudan en el desarrollo físico, mental e intelectual del niño, mientras está integrando conceptos espirituales en su vida joven.

Los maestros de este grupo tienen disponible una guía que les indica la mejor manera de usar las hojas de trabajo ordenadamente, para que sirvan como herramientas de aprendizaje y no como meras actividades para llenar el tiempo. Su guía le sugiere la meta de la clase, actividades que se pueden preparar aparte de las hojas de trabajo, música (incluye canciones en la misma guía y cita cancioneros donde se encuentran otras), y cómo presentar el estudio bíblico.

Escolares. Se ofrece *Enseñanza Bíblica para Escolares* *"A"*, para los niños de 7-8 años y sus maestros. Como para todas las edades, aun para los adultos, el material para los niños consiste en hojas de trabajo y el maestro tiene una guía. Las hojas de trabajo para esta edad no son muy diferentes a las que se usan para los preescolares. La diferencia mayor es que estos niños, ya como escolares, tienen que ejercer sus nuevas destrezas de leer y escribir, y hacer aritmética, para realizar algunas de las actividades.

La guía para los maestros de esta edad lleva al maestro paso a paso a través de la lección, siguiendo actividades introductorias, musicales, de memorización de versículos y de proyectos especiales. La revista incluye, además, artículos de interés para el maestro. Por ejemplo, en el primer número de la serie (Tomo I, Número 2, 1985) hay un artículo sobre la psicología educacional del niño, describiendo su desarrollo como persona y las implicaciones educativas de ello.

Las hojas de trabajo para los niños de 9-11 años, en *Enseñanza Bíblica para Escolares "B"*, sigue la misma forma pero con más detalle y dificultad, de acuerdo al desarrollo mental de los niños de esta edad. Se requiere que los niños usen sus conocimientos acerca de la matemática, geografía e investigaciones ligeras.

La guía para esta edad también traza los planes que debe seguir el maestro en la preparación para la clase y las actividades que se pueden realizar en la misma. Incluye también estudios de interés para el maestro de los niños en este período de desarrollo.

Jóvenes. La C. B. P. ofrece *Enseñanza Bíblica para Jóvenes "A"* y *Enseñanza Bíblica para Jóvenes "B"*, para los alumnos de 12- 16 años y 17-26 años, respectivamente. Cada uno consiste en hojas de trabajo para el alumno y guía para el maestro. En los dos casos, la guía y las hojas están estrechamente relacionadas y coordinadas.

La revista del maestro presenta información general acerca del tema, como la base bíblica, una justificación para el estudio y una sugerencia en cuanto a la meta de enseñanza-aprendizaje. Después, hay algunas ayudas que le permiten al maestro hacer su propio estudio de la base bíblica del tema, en la preparación para su clase. Además, hay ayudas didácticas en la forma de un plan de clase, consistiendo en cinco pasos a través de los cuales realizar la clase. Los cinco pasos son: la motivación para el estudio, el estudio mismo de la Biblia, la relación de la verdad bíblica con la vida diaria, una evaluación del proceso, y una motivación previa a la clase siguiente.

Las hojas de trabajo de los alumnos están divididas en los mismos cinco pasos. El plan de la clase, sugerido en la guía del maestro, está coordinado con las hojas de trabajo, para que el maestro guíe a sus alumnos en las actividades de aprendizaje que encuentran en sus hojas. Algunas de ellas están diseñadas como trabajo individual, otras para hacer en grupos pequeños y otras en el grupo grande de la clase entera. El maestro coordina estas actividades, de acuerdo con su plan de clase, añadiendo explicaciones, datos adicionales y dirigiendo discusiones, según la necesidad para estas cosas. Las actividades de los primeros cuatro pasos se hacen en la clase y el quinto, motivación para la clase siguiente, se hace en el hogar. El maestro debe decidir si usa o no todas las actividades, según las necesidades de los alumnos.

Adultos. La literatura para los adultos sigue la misma forma que la de los jóvenes. Los alumnos adultos pueden utilizar *La Enseñanza Bíblica para Adultos "A"* o *La Enseñanza Bíblica para Adultos "B",* para las edades de 27-49 y de 50 en adelante, respectivamente. Son hojas de trabajo que se usan durante la clase, en manera semejante a la clase de jóvenes. El maestro de adultos puede usar *El Expositor Bíblico,* una revista que contiene un estudio expositivo de los pasajes a tratar y un plan de clase para cada domingo. Incluye un plan para los maestros de Adultos "A" y otro para los maestros de Adultos "B". El plan de clase guía a los alumnos en actividades individuales y en grupos pequeños y grandes, a través de los primeros cuatro pasos en su hoja de trabajo. El quinto paso, que motiva al alumno para el estudio siguiente, se hace en el hogar.

Esta motivación previa, tanto para los adultos como para los jóvenes, incluye lecturas bíblicas diarias con actividades sencillas, que se completan al leer el pasaje indicado. Esto motiva a los miembros de la clase a que lean la Biblia diariamente y que la lean con propósito.

El programa de desarrollo cristiano

Esta línea de literatura se puede usar en un programa de entrenamiento que tenga la iglesia, en clases prorrogadas de la hora de enseñanza bíblica, en las organizaciones misioneras o de otra manera que le convenga a la iglesia. En el caso de las revistas para cada agrupación por edad, el material está relacionado con el tema de la enseñanza bíblica sugerida para esa fecha.

Preescolares. La revista *Jugar* tiene hojas desprendibles con actividades manuales para los escolares. El "código" de instrucciones describe bien los tipos de actividades que hay: colorear, encerrar en un círculo, cortar, doblar, pegar, unir con una línea, hablar sobre lo que se ve, dibujar, tomar una hoja, marcar con puntos, marcar con una "x", unir los puntos.

La coordinación entre los dos programas se puede ilustrar comparando los temas de la enseñanza bíblica con los títulos de las lecciones de desarrollo cristiano. Por ejemplo, durante el primer trimestre de 1985, los preescolares estudiaban lo siguiente:

Enseñanza Bíblica	*Desarrollo cristiano*
Mis oídos los hizo Dios	Qué bueno es oír
Mis ojos los hizo Dios	Veo donde puedo ayudar
Mis manos las hizo Dios	Ayudo con mis manos
etc.	

La revista *Jugar-Guía* le ayuda al consejero o guía (no es maestro) con sugerencias (un programa completamente planificado si lo quiere usar), para el uso eficiente de *Jugar*.

Escolares. Las revistas *Aprender* y *Aprender-Guía* sirven para los Escolares "A" como *Jugar* y *Jugar-Guía* sirven para los preescolares. *Aprender* también contiene hojas desprendibles, con actividades en las cuales los niños pueden leer y escribir en tareas sencillas.

Su coordinación con la enseñanza bíblica se ve en este ejemplo del segundo trimestre de 1985:

Enseñanza Bíblica	*Desarrollo cristiano*
Hay templos diferentes	¡Ven conmigo!
Los hermanos del templo ayudan a otros	Quiero ayudar
Todos hablamos de Jesús	En la China se habla de Jesús

Para cada lección, *Aprender-Guía* incluye un énfasis en el estudio bíblico tanto como en actividades discípulo-misioneras. Así que, estos materiales se adaptan fácilmente para ser usados en las organizaciones misioneras de la iglesia, si ésta no cuenta con un programa de entrenamiento.

Los Escolares "B" pueden usar las revistas *Crecer* y *Crecer-Guía* en la misma manera. Todas estas revistas enseñan, usando el principio de aprender por medio de la acción (actividades), en lugar de la presentación de ideas o conceptos.

Jóvenes y Adultos. Los mismos conceptos que determinan el formato, proceso y propósito de los materiales anteriores también rigen las revistas *Yo, Soy,* y *El Camino,* para Jóvenes "A", Jóvenes "B" y Adultos, respectivamente. Una diferencia mayor es que el alumno y el guía usan la misma revista.

Como en los casos anteriores, estos materiales están coordinados con la literatura de enseñanza bíblica, para proveer una aplicación práctica del estudio bíblico. Por ejemplo, en un trimestre que los Jóvenes "B" estudian la formación de la Biblia (enero-marzo, 1985), la primera lección de Diálogo y Acción se titula "La Biblia Habla de Sí Misma." Su estudio complementario en la revista *Soy* se titula "Un Nuevo Comienzo" y ayuda al joven a organizar por sí mismo un programa personal del estudio diario de la Biblia.

Mientras tanto, en la clase de adultos, la lección también se titula "La Biblia Habla de Sí Misma." La lección correspondiente en la revista *El Camino* es "La Biblia Soluciona los Problemas," y muestra cómo se pueden usar los principios bíblicos para mantener las finanzas familiares.

Se debe reiterar que todos estos materiales están diseñados para entrenar a las personas en la iglesia a descubrir y ejercer sus dones, es decir, a poner en práctica lo que aprenden de la Biblia. Puede utilizarse en un programa formal como la Unión de Preparación, en células hogareñas de estudio, en organizaciones misioneras, en estudios individuales o en otra manera determinada por la iglesia.

Programas misioneros

Si una iglesia tiene un programa específico de entrenamiento como la Unión de Preparación, por ejemplo, y usa los materiales de desarrollo cristiano para tal programa, quizá necesitará otros materiales para usar en sus organizaciones misioneras. En tal caso, la C.B.P. ofrece una serie de materiales para este propósito.

Preescolares. Lecciones y Actividades Misioneras para Niños de 3 a 8 Años es un anuario que se puede usar con los Rayitos de Sol. Está dividido en unidades de estudio, de acuerdo al tema que tiene que ver con la actividad misionera alrededor del mundo. Cada lección en la unidad tiene un cuento personalizado de alguien que vive en la parte del mundo que se está estudiando. El libro no ofrece un plan detallado de estudio, aunque contiene sugerencias de posibles actividades que el líder podría emplear. Al principio del libro se da un formato general de cómo se pueden realizar las reuniones.

Escolares y Jóvenes. La C.B.P. publica tres libros para llenar la necesidad de literatura misionera para los escolares y jóvenes. *Programas y Actividades para Muchachos y Jovencitos* está diseñado para ser usado en los Embajadores del Rey u otro programa semejante que tenga la iglesia. Contiene actividades, trabajos manuales, sugerencias para juegos deportivos, biografías misioneras y estudios bíblicos. Además, contiene ideas para programas especiales, como campamentos y congresos. No ofrece el libro un "plan de lección" pero en las últimas páginas se sugieren maneras en las cuales uno puede programar las varias actividades de semana en semana para proveer un programa multi-fase y coordinado.

Para las niñas de 9-15 años, hay *Programas y Actividades para Niñas y Jovencitas.* Su formato es semejante a lo que se ofrece para los muchachos. Los programas sugeridos siguen estudios trimestrales, cada uno con su énfasis peculiar. Si se usa en los programas de Niñas en Acción o Auxiliar de Niñas, hay actividades sugeridas para cumplir los "pasos" en estos programas.

Programas y Actividades para Señoritas, para las edades de 16 años en adelante, también es similar. Por supuesto, las actividades y programas reflejan necesidades de las señoritas de esta edad en su tiempo de maduración, sea física, social o espiritual.

Adultos. La Ventana es una revista trimestral que se

puede usar exclusivamente en la Sociedad o Unión Femenil o en el Programa de desarrollo cristiano. Como en las revistas diseñadas para el desarrollo cristiano, los programas en *La Ventana* son coordinados con los estudios bíblicos dominicales. La revista contiene trece programas que pretenden dar una aplicación práctica y misionera al tema general del estudio bíblico de la escuela dominical. En la parte final de la revista hay una sección de sugerencias para la conducción de las reuniones semanales. Las últimas hojas consisten en un calendario de oración con énfasis misionero.

Para organizaciones varoniles se ofrece *Programas y Actividades para Varones*. Su propósito es proveer programas y actividades que ayuden a los laicos en la iglesia a incrementar su participación en la actividad misionera, social y evangelística de la iglesia. Contiene cursillos, sugerencias para proyectos prácticos, bosquejos para sermones y otras cosas de utilidad para el laico y su desenvolvimiento en la iglesia. El libro no está organizado en programas específicos con sugerencias para conducir la sesión. Esto deja en libertad al grupo de hombres que utilizan el material.

Educación familiar

El Hogar Cristiano es una revista trimestral que contiene artículos de interés para el desarrollo de la familia como una familia cristiana. Una sección clave en la revista para la educación familiar es "Meditaciones Diarias para el Culto Familiar", la cual sugiere un pasaje bíblico para las lecturas diarias con la familia y una aplicación de las mismas.

Educación musical

La revista trimestral *Preludio* es para todas las personas en la iglesia que tienen una responsabilidad en la preparación y/o dirección de los cultos de la iglesia o de sus organizaciones. "Contiene artículos inspiracionales y materiales relacionados con el ministerio musical en nuestras iglesias" (*Preludio*, pág. 1).

Materiales para la evangelización

Respuesta es una revista dirigida a los inconversos y dedicada a compartir con ellos las buenas nuevas de la salvación que Dios ofrece en Cristo. Las iglesias compran varios ejemplares de esta revista, los sellan, y dejan en salones públicos de la comunidad o en las casas de las personas que han visitado el templo.

Nueva Vida es un periódico de cuatro páginas. Presenta testimonios y otros artículos relacionados con la vida abundante en Cristo, cómo encontrarla y cómo vivirla en forma triunfante. Es una buena semilla para sembrar el evangelio con los vecinos y amigos inconversos.

Verdad es un folleto evangelístico ofrecido a las iglesias por un precio accesible. Presenta un mensaje bíblico e invita al lector al templo para recibir orientación espiritual.

Materiales administrativos

Hay muchos libros que ayudarían a los encargados de los programas educacionales de la iglesia. Tres publicaciones son casi indispensables. *El Promotor de Educación Cristiana* ayuda a los responsables a mantenerse al día en cuanto a los cambios en la literatura, el porqué de algunos conceptos que son reflejados en la misma, ideas promocionales y estudios de trasfondo de aquello que los alumnos en la escuela dominical estarán estudiando.

Las otras dos publicaciones, *Cuaderno de Registro General para la Escuela Dominical,* y *Cuaderno de Registro para una Clase de Enseñanza Bíblica* son muy necesarios si se espera mantener un programa organizado.

Temas de discusión

1. ¿Cuál es su propio concepto de currículo? ¿Concuerda su concepto de currículo con lo que se hace en su iglesia a nombre de educación?
2. Evalúe la validez del Programa Integrado de la C.B.P. desde una perspectiva curricular y desde una perspectiva práctica, según el uso de los materiales en su iglesia. (Nota: No lo haga ciegamente, sin revisar personalmente los materiales.)
3. Apunte, para su propio análisis, las ventajas y desventajas de usar hojas de trabajo en la escuela dominical en lugar de revistas, tanto prácticas como teóricas.

Capítulo 15

RESUMEN Y CONCLUSIONES

Cuando uno llega al final del estudio de un material, siempre le es beneficioso reflexionar sobre lo que ha leído o escuchado. Al hacerlo, se debe hacer varias preguntas, entre ellas algunas de las siguientes: ¿Con qué estoy de acuerdo en el material leído o escuchado? ¿Con qué no estoy de acuerdo? ¿Qué debo hacer como consecuencia del estudio?

La esperanza del autor es que el que ha leído este material, ya sea un individuo que lo ha utilizado solo o uno que lo ha estudiado y discutido en el ambiente de un aula académica, no lo haya hecho con fines académicos y nada más. Si el estudio no incentiva la acción, el autor ha fallado en su propósito. La acción puede ser activa en la forma de cambios que se deben hacer. Puede ser pasiva en la forma de una afirmación de que el programa educacional con el cual uno está involucrado está funcionando según principios dignos. Lo importante es que haya acción, que el lector haya sido estimulado y que se haya disciplinado a reflexionar sobre su ministerio educacional y el de su iglesia.

En algunos círculos educacionales en nuestro día, se está usando mucho la palabra *praxis,* para indicar un proceso de reflexión y acción sobre el mundo de uno y cómo puede ese mundo ser transformado a través de la educación. Es un proceso de reflexión/acción que este estudio debe provocar, a pesar de su trato ligero de los temas y los problemas relacionados. Aún más, el resultado del proceso de reflexión/acción del lector debe estimular a un proceso semejante entre la parte del pueblo de Cristo con que él trabaja. La transformación de las personas es lo que busca Cristo, y la

transformación del mundo a través de individuos transformados por un amor supremo debe ser lo que busca su iglesia.
Esto es posible solamente cuando reflexionemos —sobre
nuestra condición, sobre las necesidades nuestras y las de los
demás, sobre lo que podemos hacer personalmente para
cumplir las necesidades. Así que, se espera que el lector haya
reflexionado y que lo seguirá haciendo para que hagamos más
eficazmente la tarea educacional que el Señor nos ha encomen-
dado. Como se indicó en la Introducción, el tomar en serio la
tarea educacional de la iglesia es vital para su supervivencia.

Sigue, a continuación, una recapitulación del material en
las páginas anteriores, para que terminemos el estudio con un
cuadro completo que nos incentive a reflexionar y que nos
estimule hacia la acción.

La educación cristiana empezó con la educación de los
hebreos, los antecedentes espirituales de la iglesia primitiva.
La educación hebrea, que en su totalidad fue educación
religiosa por el auto concepto de los hebreos como el pueblo de
Dios, se realizaba mayormente en el hogar, pero también en el
templo, y durante el exilio y después, en la sinagoga. Habían
excepciones a estas generalidades, pero mayormente así fue. El
propósito de su educación fue triple: transmitir su herencia
histórica como el pueblo de Dios, instruir en la conducta ética
y asegurar la presencia y la adoración de Dios. Su currículo
consistía mayormente en la tradición oral, la ley y las
actividades diarias.

Cuando los ideales religiosos de los hebreos se convirtieron en un sistema más formal de creencias, también había
necesidad de formalizar los métodos para enseñar los ideales.
De ese modo, la educación judaica se realizaba más en las
sinagogas que en el hogar y el templo. La educación hogareña
todavía jugaba un papel importantísimo en la vida del niño,
pero fue complementada por una educación más formal a los
pies de maestros preparados, en un ambiente educativo.

El eslabón entre la educación hebrea/judaica y la educación cristiana fue el primer educador cristiano, el fundador del
cristianismo, Jesús de Nazaret. Este maestro de maestros debe
ser el ejemplo de cada maestro cristiano. Por eso estudiamos
sus cualidades como maestro, mencionando su capacidad
académica y experiencial, pero dando énfasis a su habilidad de

vivir personalmente lo que enseñaba. Estudiamos también algunas características de los alumnos de Jesús, para poder relacionar nuestra experiencia como maestros con la suya. Dijimos que el propósito de su enseñanza fue la transformación de las vidas de los que le escuchaban, una reflexión/acción de parte de ellos. Finalmente, para ayudarnos a entender mejor lo que hizo Jesús como maestro, pensamos en su metodología.

Desde esas bases bíblicas, pasamos a escudriñar el desarrollo de la educación cristiana a través de los siglos, mientras la iglesia cristiana se hizo un factor reconocido, importante y decisivo en la historia mundial. Vimos que los cristianos de la iglesia primitiva aprendían y practicaban su fe a través de su trato diario con otros cristianos, en sus actividades cotidianas y en la adoración, simbolismo que caracterizaba sus reuniones. La educación cristiana de este período primitivo tenía las funciones principales de instruir a los nuevos creyentes acerca del bautismo, preparándole para ese acto, y de conservar la nueva tradición religiosa que ya no era hebrea/judaica, sino cristiana. La literatura que se produjo en este tiempo ayudaba mucho a esta última función.

En los siglos entre la edad apostólica y la Reforma Protestante, habían muchas influencias que afectaron el desarrollo de la educación cristiana, entre éstas: El intelectualismo de miembros absorbidos alrededor del Imperio Romano, las herejías que surgieron mientras la iglesia luchaba para definir claramente sus doctrinas, la aparición de los apologistas para defender con la pluma lo que la iglesia definía, y el desarrollo organizacional de la iglesia. Esta última influyó mucho en el desarrollo de los sistemas de educación cristiana, los cuales, a su turno, dieron ímpetu a la fundación de instituciones educacionales.

Durante la misma época, habían algunos educadores importantes en el desarrollo de la educación cristiana. Analizamos brevemente las contribuciones de los padres eclesiásticos, Agustín, Alcuino y Tomás de Aquino, por sus influencias duraderas en la iglesia y, por lo tanto, en la educación cristiana. El último, Tomás de Aquino, quizá fuera el más influyente, porque trazamos sus pensamientos a las prácticas actuales de la Iglesia Católica Romana y a una filosofía mayor de la educación, el Neo-Tomismo.

Los cristianos evangélicos de hoy, deben mucho a los eventos de los siglos XIV-XVI en Europa. Vimos en nuestro estudio la evidencia de un trastorno socio-político-cultural y la reacción de la iglesia frente a esto. Repasamos las contribuciones de hombres y movimientos, quienes actuaban para salvar la dignidad y valor de la iglesia en un mundo "progresivo", que no tenía mucho lugar para las cosas de Dios. Estos hombres y movimientos, como Groote y *Los hermanos de la vida común,* Tomás Kempis, Erasmo, y los reformistas eclesiásticos como Lutero, Calvino, los Anabautistas, y otros, dejaban su marca problemática en la época. Cada uno, con su preocupación por mantener pura y bíblica la enseñanza cristiana, iniciaron o influyeron en el rumbo de la educación cristiana aun hasta el presente. Sugerimos cinco influencias mayores en este período de la Reforma en la educación cristiana.

En el mismo capítulo, descubrimos que después de este período de cambios fuertes y bruscos, cuando el mundo se calmaba y progresaba más tranquilamente hacia la era contemporánea, otros hombres, más como educadores que como teólogos, también dejaron su marca. Con ellos la educación cristiana empezaba a ser una ciencia más que antes, una parte de la vida cristiana que se debiera organizar debidamente y por la cual se debiera preparar adecudamente. Pero estas opiniones de hombres como Comenio, Spener, Franche y Zinzendorf, también dieron mucho énfasis en la educación a la necesidad de una espiritualidad y dependencia de Dios.

Después de haber visto sus contribuciones, pasamos a las bases históricas que nos llevaron hasta el día de hoy en el desarrollo de la educación cristiana. Vimos la llegada del cristianismo al Nuevo Mundo, en la forma del protestantismo en norteamérica y el catolicismo en América Latina. Dejando lo que correspondía a la educación cristiana católica, trazamos la educación cristiana en la tradición evangélica en su llegada a América del Norte, y desde allí, su continuación a América del Sur, a través del movimiento misionero evangélico. De paso, mencionamos algunas características, positivas y negativas, de la educación cristiana en los Estados Unidos de América y después lo positivo y negativo del movimiento misionero en

relación a la educación. Una herencia importantísima que salió
de este período fue el comienzo y el desarrollo de la escuela
dominical.

Al terminar la discusión referente a las bases históricas,
presentamos otra base de la educación cristiana, la que tiene
que ver con el contexto socio-cultural de la educación y las
influencias psicológicas en la educación. Tratamos de caracte-
rizar el contexto socio-cultural latino para hacer reflexionar al
lector sobre posibles cambios que deben efectuarse en su
propio contexto. Hablamos de la relación entre la educación y
la cultura, diciendo que hay una relación inevitable y que, por
lo tanto, la educación puede ser la herramienta de manteni-
miento, cambio y crecimiento en la cultura. La educación,
como tal, sirve a la población en general y, más importante
para nosotros, sirve así también en la comunidad cristiana.
Terminamos la discusión con cinco implicaciones socio-
culturales para la educación cristiana.

En el capítulo 10, delineamos el enlace entre los estudios
psicológicos y la educación. Sugerimos que la psicología,
especialmente en su papel de explicar el desarrollo del ser
humano, es la ciencia de la conducta humana y que la
educación tiene la función de cambiar la conducta humana.
Por lo tanto, la psicología y la educación llegan a ser
interdependientes. Tocamos la superficie de las teorías de
aprendizaje, instrucción, desarrollo y motivación, como parte
del estudio y de la explicación psicológica de la conducta
humana en su búsqueda de conocimientos. Hablamos de
algunas teorías mayores del desarrollo humano, como las de
Piaget, Kohlberg y Erickson, con sus implicaciones educacionales para la iglesia local. Finalmente, exploramos la posibilidad de que la fe pudiera considerarse una experiencia psicológica. En el caso que se considere así, el educador cristiano
tendría la responsabilidad de entender las implicaciones para
él y su tarea en la iglesia.

En la cuarta parte principal del estudio, tratamos de
proveer bases teológicas y filosóficas para la educación cristiana. El capítulo 11 se dedicó a presentar algunos pensamientos hacia una teología de la educación. Fue un estudio basado
en pasajes clave, aunque no exclusivos, de la Biblia, que nos
ayudaron a desarrollar una teología de la educación. Del

estudio bíblico en relación con la educación, sugerimos que lo que se hace en nombre de un programa educacional en la iglesia debe incluir los ingredientes siguientes: modelo, relaciones interpersonales, contextualización, discipulado y organización.

En cuanto a una filosofía de la educación, apropiada para la iglesia, introdujimos cinco escuelas filosóficas tradicionales y sugerimos implicaciones religio-educacionales para cada una. Sin embargo, fue la opinión del autor que ninguna de éstas es adecuada para la función educacional de la iglesia y, por lo tanto, una nueva filosofía fue sugerida. La nueva filosofía, relacionada intrínsecamente con la teología de la educación desarrollada en el capítulo anterior, es una filosofía que se basa en el diálogo interpersonal.

La última parte del libro, que incluía el antepenúltimo y el penúltimo capítulos, pretendía ser más práctica que teórica en su orientación. Trató de las bases organizacionales de la educación. En el capítulo 13, se presentaron varios factores prácticos que se consideran al poner en práctica un programa educacional en la iglesia local: administración, planificación y evaluación, personal, agrupaciones, facilidades y equipo, y currículo. En el penúltimo capítulo, este último factor, currículo, fue analizado más en detalle. Como parte del análisis, un resumen fue provisto de la mayor parte de la literatura educacional publicada por la Casa Bautista de Publicaciones. El propósito de proveer el resumen fue para hacer reflexionar al lector sobre las necesidades curriculares de su iglesia y analizar si debe o no utilizar la literatura sugerida por la C.B.P. para las iglesias bautistas.

Lo ha leído. Lo ha estudiado. Posiblemente lo ha discutido. Posiblemente esté de acuerdo con todo, posiblemente no. Espero que lo haya reflexionado. Espero que actúe.

Temas de discusión

1. ¿Hay conceptos presentados en este capítulo que no entiende todavía? ¿Qué podría hacer para aclararlos?
2. ¿Hay conceptos presentados con los cuales no está de acuerdo? ¿Cuál es su alternativa? ¿Puede substanciar su alternativa?

3. ¿Qué partes del estudio le han tocado personalmente, por causa de necesidades evidentes en su iglesia? ¿Qué piensa hacer al respecto? ¿Qué *acciones* va a tomar?

BIBLIOGRAFIA SELECCIONADA

Barclay, William. *El Nuevo Testamento Comentado. Vol. 4. Lucas.* Buenos Aires: Ediciones La Aurora, 1973.

Coleman, Lucien. *Cómo Enseñar la Biblia.* El Paso: Casa Bautista de Publicaciones, 1982.

Colombatti, Hugo. "Factores de Crecimiento en la Iglesia." Tesis de Magíster, no publicada. Seminario Bautista Internacional de Cali, 1985.

Deiros, Pablo. *Historia del Cristianismo.* El Paso: Casa Bautista de Publicaciones, 2a. edición corregida, 1985.

Edge, Findley B. *Metodología Pedagógica.* El Paso: Casa Bautista de Publicaciones, 1982.

_____*Pedagogía Fructífera.* El Paso: Casa Bautista de Publicaciones, 1985.

Escobar, Samuel. "Identidad, Misión y Futuro del Protestantismo Latinoamericano." *Diálogo Teológico* (13 abril 1979): 59-87.

Ford, LeRoy. *Modelos para el Proceso de Enseñanza-Aprendizaje.* El Paso: Casa Bautista de Publicaciones, 1985.

Geyer, Georgie Anne. *The New Latins: Fateful Change in South and Central America.* Garden City, Nueva York: Doubleday and Company, 1970.

Graves, Guillermo. *Enseñanza y Capacitación en Su Iglesia.* El Paso: Casa Bautista de Publicaciones, 1987.

Hegg, Pierre M. *Introducción a la Sociología Religiosa del Perú.* Lima: Ediciones Librería "Stadium" S. A., s/f.

Latourette, Kenneth Scott. *Historia del Cristianismo.* Tomo I. El Paso: Casa Bautista de Publicaciones, 1983.

Nida, Eugene A. *Understanding Latin Americans.* South Pasadena, California: William Carey Library, 1974.

Piaget, Jean. *Psicología de la Inteligencia*. Buenos Aires: Editorial Psique, s/f.

Read, William; Monterroso, Victor y Johnson, Harmon. *Avance Evangélico en la América Latina*. El Paso: Casa Bautista de Publicaciones, 1970.

Rood, Wayne. *El Arte de Enseñar el Cristianismo*. Buenos Aires: Ediciones La Aurora, s/f.

Sanner, A. Elwood y Harper, A. F., editores. *Explorando la Educación Cristiana*. Kansas City, Missouri: Casa Nazarena de Publicaciones, 1978.

UNELAM. *Cristianos en los Andes*. Montevideo: UNELAM, 1970.